Amélie Guénette

Nouvelle édition

Mon CAHIER DE VACANCES

en route vers la 3e année

Amélie Guénette

Nouvelle édition

Mon CAHIER DE VACANCES

en route vers la 3ᵉ année

Mon cahier de vacances — En route vers la 3e année

Amélie Guénette

© 2015 Les Éditions Caractère Inc.

Correction d'épreuves : Richard Bélanger
Conception graphique : Kim Lavoie
Conception de la couverture : Geneviève Laforest

Sources iconographiques

Couverture : Shutterstock.com

5800, rue Saint-Denis, bureau 900
Montréal (Québec) H2S 3L5 Canada
Téléphone : 514 273-1066
Télécopieur : 514 276-0324 ou 1 800 814-0324
caractere@tc.tc

ISBN : 978-2-89742-134-2

Dépôt légal : 2e trimestre 2015
Bibliothèque et Archives nationales du Québec
Bibliothèque et Archives Canada

Imprimé au Canada

1   2   3   4   5   M   19   18   17   16   15

Nous reconnaissons l'aide financière du gouvernement du
Canada par l'entremise du Fonds du livre du Canada (FLC)
pour nos activités d'édition.
Gouvernement du Québec – Programme de crédit d'impôt
pour l'édition de livres – Gestion SODEC.

Mot aux parents

Ce cahier d'activités amusant a été conçu afin de divertir votre enfant pendant la période des vacances tout en lui permettant de mettre en pratique les connaissances acquises durant l'année scolaire.

Mon cahier de vacances – En route vers la 3ᵉ année survole le programme du ministère de l'Éducation du Loisir et du Sport, et ce, sous la forme de jeux, de mots mystères, d'exercices de mathématique, de français et d'anglais. Certaines activités encouragent l'enfant à s'interroger sur son entourage par l'entremise d'une entrevue ou par une petite expérience scientifique qu'il doit lui-même réaliser.

Votre enfant n'est pas obligé de faire les exercices dans l'ordre, il peut faire un peu d'anglais, quelques pages de mathématique, s'amuser à faire les expériences ou encore faire du français en premier. Libre à lui de choisir ce qu'il veut faire. Vous pourrez toujours l'inciter à faire certaines pages plus tard. L'important est qu'il prenne plaisir à travailler.

Un enfant qui continue à apprendre et à lire durant l'été sera en mesure d'attaquer du bon pied la nouvelle année scolaire à l'automne.

Nous vous souhaitons d'excellentes vacances !

Les personnages

Lis la description de chaque personnage, puis réponds aux questions des pages 11 et 12.

Voici Jonathan !

Jonathan est un garçon de huit ans. Il habite un quartier tranquille dans la petite municipalité de Cowansville. Ses amis Zoé, Roger et Danielle habitent près de chez lui ; ils s'amusent beaucoup tous les quatre !

Né la journée de l'Halloween, Jonathan fête son anniversaire en partant à la chasse aux bonbons dans le quartier. L'année dernière, il s'est déguisé en superhéros. Sa mère lui a fait un costume rouge, car elle sait que c'est sa couleur préférée. Drôle de hasard ? Le rouge est aussi la couleur du repas favori de Jonathan : la recette secrète de pâtes que seule sa mère connaît. La lasagne et le spaghetti sont les mets qu'il préfère dans tout l'univers !

Les animaux sont la grande passion du jeune garçon. Ce n'est pas pour rien qu'il y en a autant à la maison ! D'abord, Jonathan a un cochon d'Inde, une femelle nommée Mika. Elle est rousse et très docile. De plus, Jonathan a un petit aquarium où vit un poisson-clown. Et ce n'est pas tout ! Il possède aussi un hamster, une femelle entièrement blanche qui s'appelle Toupie. Ça le fascine, de la voir tourner sans fin dans sa roue ! Pas de surprise : plus tard, Jonathan aimerait être propriétaire d'un zoo.

Voici Zoé!

Zoé est une fille de six ans qui aime beaucoup l'école. Ses parents se nomment Johanne et Michel, et son grand frère, Pierre-Yves. Quant à son meilleur ami, il s'appelle Jonathan. Il habite la maison juste en face de la sienne. Après le souper, ils ont pris l'habitude de faire des promenades en bicyclette ou de jouer dans la neige, selon la saison. Leurs amis Roger et Danielle se joignent parfois à eux.

Zoé adore faire la cuisine avec ses parents. Plus tard, elle voudrait être chef dans un restaurant chic. Elle rêve de travailler avec son grand frère ! Son repas favori est le poisson. Surtout celui de son père, préparé avec du citron.

Tout comme son ami Jonathan, Zoé adore les animaux. Chez elle vivent deux petits chiens : Sushi et Daphnée, des compagnons très joueurs. Grâce aux conseils de Jonathan, elle a appris à Sushi à faire la belle et à rester assise.

Voici Michel!

Michel est le père de Zoé et de Pierre-Yves. Il travaille à l'hôpital et est pompier volontaire. Sa saison préférée est l'été, car il peut alors réaliser ses activités favorites : se baigner et jouer au golf. Zoé aime beaucoup s'amuser dans la piscine avec lui. C'est d'ailleurs grâce à Michel qu'elle a appris à nager. Avant, Zoé avait une peur bleue de l'eau ; maintenant, elle est toujours la première à y sauter !

Michel n'est pas seulement bon au golf ; il excelle en cuisine. C'est en profitant de ses apprentissages que Pierre-Yves s'est rendu compte qu'il voulait devenir chef. Les repas favoris de Michel sont le poulet et la pizza, mais attention : on ne parle que de pizza maison ! Michel prépare lui-même sa pâte, il est même très bon pour la lancer en l'air et la rattraper, comme le font les grands chefs italiens ! Zoé le regarde faire sans se lasser. Sushi et Daphnée, les deux chiens de Michel, se joignent à elle, fascinés par le mouvement de la pâte dans les airs !

Ces petits chiens, Zoé et sa mère ont décidé de les lui offrir pour Noël dernier. Cela avait été très difficile de les cacher toute la soirée, avant qu'arrive le temps de déballer les cadeaux !

Voici Johanne!

Johanne est la mère de Zoé et de Pierre-Yves. Zoé est flattée qu'on dise qu'elle lui ressemble : elle trouve sa mère magnifique!

Comptable, Johanne travaille dans un grand bureau et reçoit de nombreux clients. Bien sûr, les mathématiques n'ont plus de secret pour elle! Lorsqu'elle écrit au clavier d'ordinateur, elle n'a pas besoin de regarder les touches pour taper très rapidement, et ce, sans faire de fautes d'orthographe.

Dans ses temps libres, Johanne aime se promener à bicyclette. C'est pourquoi sa saison préférée est l'automne : la température est alors parfaite, ni trop chaude ni trop froide. Johanne attend toujours avec impatience ce moment magique où les feuilles prennent des teintes d'orange, de jaune et de rouge.

Son autre passion est de voyager et de découvrir différents pays. Récemment, elle a visité Londres avec toute sa famille et, bientôt, ils iront se reposer sur une plage des États-Unis. Vivement les vacances pour lire un roman en écoutant les vagues se déposer sur le sable!

Voici Thérèse!

Thérèse est la grand-mère de Zoé. Elle est non seulement très gentille, mais c'est une vraie grand-maman-gâteau!

Les jours d'école, Zoé dîne chez sa grand-mère, puisque celle-ci habite tout près de son école. Thérèse lui prépare de bons repas, et chacune profite de la compagnie de l'autre. Comme elle adore gâter ses petits-enfants, Thérèse cuisine souvent à Zoé ses desserts préférés. Il y en a plusieurs dont celle-ci raffole, mais elle a un faible pour la tarte au citron. Après le repas, Thérèse montre à Zoé comment remplir les mots croisés. C'est qu'elle est férue de jeux de logique! Elle ne rate aucun des mots croisés que publie le journal.

Plus tard en après-midi, lorsque la cloche signalant la fin de la journée scolaire sonne, Zoé retourne chez sa grand-mère. Avant d'être à la retraite, Thérèse enseignait au primaire. Il n'y a donc pas de meilleure personne pour l'aide aux devoirs! Quand les parents de Zoé finissent de travailler, ils passent la chercher chez Thérèse. Les deux complices se retrouveront le lendemain!

Voici Pierre-Yves!

Pierre-Yves est le grand frère de Zoé. Il a dix-neuf ans et il est cuisinier dans un joli restaurant. Pierre-Yves sait faire les meilleurs crêpes aux framboises du monde! Malgré son talent spécial pour réaliser ce plat, son repas préféré est le poulet; toutes les recettes de poulet. Il pourrait en manger chaque jour!

Le jeune homme habite dans un appartement tout près de chez Zoé; il a quitté la maison familiale l'année dernière, après avoir terminé ses cours de cuisine, car il préférait être autonome. Il a acheté une voiture bleu royal – sa couleur préférée, bien sûr! Zoé est contente qu'il ait choisi un appartement près de chez elle, car elle peut aller lui rendre visite quand elle le souhaite. En plus, Pierre-Yves habite juste devant le parc. Ils s'y rendent parfois pour jouer au frisbee avec des amis. D'autres fois, la fin de semaine, Zoé le rejoint chez lui pour jouer à des jeux vidéo; son frère en est un véritable expert!

Voici Roger!

Roger est un des amis de Zoé. Il a sept ans et habite à deux coins de rue des maisons de Zoé et de Jonathan. Sa petite sœur se nomme Danielle.

Fervent adepte de hockey, Roger pratique ce sport au moins une fois par semaine. Il est aussi spécialiste des constructions de maisons, que ce soit dans le carré de sable du parc ou dans son salon, avec des blocs de plastique. Plus tard, il voudrait faire comme son père... construire de vraies maisons!

Voici Danielle!

Danielle est la petite sœur de Roger. Elle a six ans, tout comme Zoé. Les deux jeunes filles sont dans la même classe à l'école du quartier. Pour sa part, Danielle adore les fleurs et elle aimerait devenir paysagiste. Elle pourrait ainsi travailler dans des jardins tous les jours !

Questionnaire sur les personnages

Jonathan

Dans quelle ville habite Jonathan? _____

Quels sont les animaux de Jonathan? _____

_____

Quelle est la date d'anniversaire de Jonathan? _____

Quelle est sa couleur préférée? _____

Quel est le mets favori de Jonathan? _____

Zoé

Quel âge a Zoé? _____

Comment se nomme son grand frère? _____

Qui sont ses parents? _____

Qui est le meilleur ami de Zoé? _____

Que veut faire Zoé comme travail lorsqu'elle sera grande? _____

Quel est son repas préféré? _____

Pierre-Yves

Quel âge a Pierre-Yves? _____

Que fait-il comme métier? _____

Quel est son repas favori? _____

Quelle est sa couleur préférée? _____

Qui es-tu ?

Quel est ton prénom ? _____

Et ton surnom ? _____

Quel âge as-tu ? _____

Quelle est ta date d'anniversaire ? _____

De quelle couleur sont tes yeux ? _____

De quelle couleur sont tes cheveux ? _____

**Colle une photo
de toi !**

Est-ce que tu portes des lunettes ? _____

Quelle est ta saison favorite ? _____

Pourquoi ? _____

Quelle est ta couleur préférée ? _____

Quel est ton repas favori ? _____

Est-ce que tu as des frères et des sœurs ? _____

Combien ? _____

Comment se nomment tes parents ? _____

Et tes grands-parents ? _____

As-tu un animal chez toi ? _____

Quel est son nom ? _____

Dans quelle ville habites-tu ? _____

Quel est le nom de ta rue ? _____

Quel est le nom de ton école ? _____

Comment s'appelle ton enseignant(e) ? _____

Des acrostiches

L'acrostiche est un poème dont les premières lettres de chaque vers, lues de haut en bas, forment un mot ou une expression. Le mot dissimulé dans l'acrostiche est souvent le nom du poète ou le nom de celui à qui est destiné le poème.

Lis l'acrostiche suivant, qui décrit la personnalité d'une petite fille nommée Clara. Crée ensuite tes propres acrostiches avec ton nom et ceux de personnes de ton entourage (par exemple, ta sœur, ton ami, ton père), en donnant des caractéristiques qui les représentent.

Coquine
Légère
Acrobate
Rieuse
Allumée

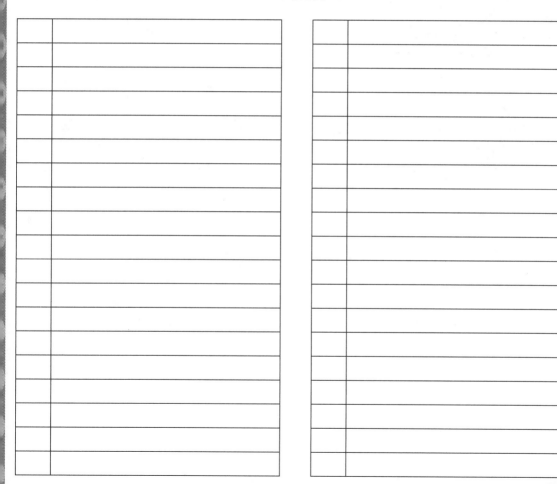

Math à la plage

Colorie :
- en jaune les expressions équivalentes à 50 ;
- en vert les expressions équivalentes à 100.

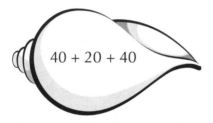
40 + 20 + 40

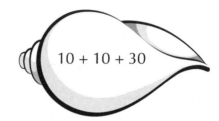
10 + 10 + 30

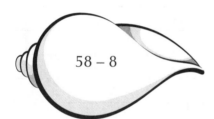
58 – 8

125 – 25

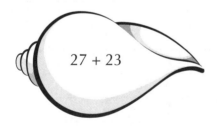
27 + 23

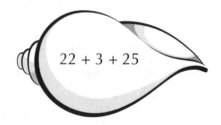
22 + 3 + 25

Sauve qui peut!

Quel hippocampe arrivera le premier à sa cachette parmi les algues? Trace en rouge le chemin le plus court.

a)

b)

c)

Labyrinthe

Aide Thomas à se rendre au coffre au trésor.

Le cri des animaux

Inscris sous les images d'animaux ci-dessous quel est leur cri.
Pour t'aider, utilise la banque de verbes.

Hennir   Grogner   Miauler   Bêler   Japper   Caqueter

a)

_____

b)

_____

c)

_____

d)

_____

e)

_____

f)

_____

Les insectes

Sais-tu comment reconnaître les insectes ? Ils ont **six pattes**, **deux antennes** et leur **corps** est divisé en **trois parties** : la tête, le thorax et l'abdomen.

En te fiant à cette description, fais un X sur les images ci-dessous qui ne représentent pas des insectes. Attention : sur deux de ces insectes, on ne voit pas les pattes.

Ton horaire

Réponds aux questions suivantes sur ton horaire quotidien, puis ajoute les aiguilles au bon endroit. Demande à tes parents de te corriger.

À quelle heure :

Exemple :
soupes-tu la semaine?   <u>18 h 15</u>

te lèves-tu la semaine?   _____

te couches-tu la semaine?   _____

te lèves-tu la fin de semaine?   _____

commences-tu tes devoirs la semaine?   _____

te couches-tu la fin de semaine?   _____

C'est l'heure de l'école !

À quelle heure :

termines-tu l'école ? _____

dois-tu rentrer à la maison le soir ? _____

l'école commence-t-elle le matin ? _____

la cloche de l'école sonne-t-elle en fin de journée ? _____

tes parents se couchent-ils la semaine ? _____

tes parents se lèvent-ils la semaine ? _____

aimerais-tu te coucher la semaine ? _____

Un peu de logique

Essaie de remplir le rectangle avec les lettres A, B, C, D, E, F, G, H, I, en suivant les consignes.

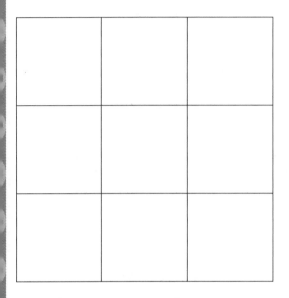

A est dans un coin gauche.

B est sous F.

C est dans la colonne du centre.

D est au-dessus de H.

E est à gauche de C et plus bas que A.

F est entre A et D.

G est à gauche de B et au-dessus de E.

H est entre D et I.

 I est dans le coin droit en bas.

A est dans un coin.

B est à gauche de G.

C est au centre.

D est entre B et A.

E est au-dessus de F.

F est à droite de H.

G est au-dessus de C.

H est entre A et F.

I est dans un coin droit.

Fabrique ta propre marionnette

Pour fabriquer ta propre marionnette, tu auras besoin du matériel suivant.

– 2 feuilles de feutre (ou plus, pour la décoration)
– Quelques épingles
– 1 aiguille à coudre
– 1 bobine de fil
– 1 paire de ciseaux
– Colle
– Accessoires de bricolage (laine, cure-pipes, yeux, boutons, crayons-feutres, etc.)

1. Découpe le modèle de marionnette de la page suivante. (Pour t'aider, détache la feuille du cahier). Pose le modèle sur ta première feuille de feutre et fixe-le à l'aide des épingles. Demande l'aide d'un adulte pour éviter de te piquer !

2. Découpe le feutre en suivant le modèle.

3. Recommence les étapes 1 et 2 sur la deuxième feuille de feutre.

4. Coupe un bout de fil (environ deux fois la longueur de ton avant-bras). Passe le fil dans le chas (le trou) de l'aiguille. Si tu as de la difficulté, demande l'aide d'un adulte.

5. Couds les deux formes de marionnette ensemble. D'abord, mets-les l'une sur l'autre. Ensuite, fais un nœud au bout du fil, puis pique les formes en bas, à droite. Passe le fil en dessous, puis au-dessus du feutre, en faisant le tour des formes. Termine en faisant un nœud avec le fil en bas, à gauche. S'il reste du fil, coupe-le.

6. Décore ta marionnette ! Par exemple, colle des yeux, des cheveux en laine. Dessine des vêtements. Couds des accessoires, comme un chapeau en feutre que tu colleras sur sa tête. Laisse aller ton imagination !

Un modèle de marionnette

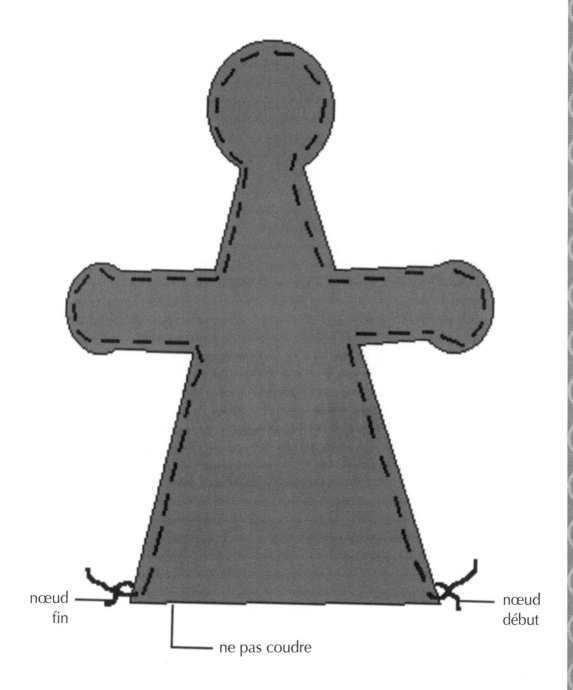

nœud
fin

nœud
début

ne pas coudre

Au pluriel

Écris les mots suivants au pluriel.

chat : _____

bouteille : _____

chou : _____

bois : _____

papier : _____

main : _____

corail : _____

rouge : _____

peau : _____

grand-mère : _____

éléphant : _____

frère : _____

sœur : _____

pyjama : _____

soirée : _____

arc-en-ciel : _____

gorille : _____

paon : _____

dictionnaire : _____

automobile : _____

Les homophones

Relie les homophones entre eux.

chant	faim
mère	père
paire	chêne
fin	selle
chère	balai
celle	hôtel
ballet	champ
chaîne	signe
haute	chaire
cygne	hôte
autel	vice
vis	maire

Qu'est-ce qui rime ?

Une rime est la terminaison de deux mots qui ont le même son.

Exemple : *savon* et *salon* riment.

Voici un poème d'Émile Nelligan, poète québécois.
Encercle les rimes et relie-les.

Le Vaisseau d'Or

Ce fut un grand Vaisseau taillé dans l'or massif.

Ses mâts touchaient l'azur, sur des mers inconnues ;

La Cyprine d'amour, cheveux épars, chairs nues,

S'étalait à sa proue, au soleil excessif.

Mais il vint une nuit frapper le grand écueil

Dans l'Océan trompeur où chantait la Sirène,

Et le naufrage horrible inclina sa carène

Aux profondeurs du Gouffre, immuable cercueil.

Ce fut un Vaisseau d'Or, dont les flancs diaphanes

Révélaient des trésors que les marins profanes,

Dégoût, Haine et Névrose ont entre eux disputés.

Que reste-t-il de lui dans la tempête brève ?

Qu'est devenu mon cœur, navire déserté ?

Hélas ! Il a sombré dans l'abîme du Rêve !

Des phrases qui riment

Complète les phrases en utilisant des mots qui riment avec le dernier mot de la première ligne.

Ex. :   Tout ce qui m'arrive est magique !
               Voilà qui est vraiment <u>fantastique.</u>

Ah ! Comme cette plage est belle !

Une chance que j'aie apporté ma _____ .

J'ai un peu peur des souris,

Mais pas autant que mon _____ .

J'adore la couleur orange !

J'aime aussi ce fruit que l'on _____ .

Allons danser ce soir.

Je porterai ma robe _____ .

Pourquoi pleures-tu ?

Voyons, ne t'en fais _____ .

J'aime jouer du piano.

— Moi, je préfère le _____ .

Colors in English

Voici un jeu pour apprendre tes couleurs en anglais.
Tu dois colorier les parties du dessin ci-dessous selon la couleur demandée.

1- yellow   2- red   3- green   4- brown   5- blue

Place au théâtre !

Avec des amis, donne vie à l'histoire suivante.

Le Petit Chaperon rouge

Décidez d'abord de vos personnages.

Pour les costumes, il vous faut une cape rouge, des oreilles pour faire le loup, une chemise à carreaux pour faire le bûcheron. Le narrateur pourrait se recouvrir d'un drap et se camoufler dans le décor, ou simplement se mettre une cravate et rester à la vue du public.

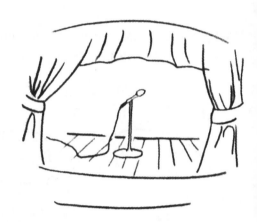

Ensuite, pour le décor, vous pourriez accrocher des draps verts sur des chaises pour faire la forêt ou simplement dessiner des arbres sur des feuilles et les coller sur le mur.

Il vous faudra aussi quelques accessoires : un petit panier pour le chaperon rouge, un bonnet de grand-mère pour le loup et la grand-mère.

Puis, place au théâtre !

Le Petit Chaperon rouge

Narrateur : Il était une fois une petite fille de village, la plus jolie qu'on eût pu voir; sa mère en était folle, et sa mère-grand plus folle encore. Cette bonne femme lui fit faire un petit chaperon rouge, qui lui seyait si bien, que partout on l'appelait le Petit Chaperon rouge. Un jour, sa mère, ayant cuit et fait des galettes, lui dit :

Mère : Va voir comment se porte ta mère-grand, car on m'a dit qu'elle était malade. Porte-lui une galette et ce petit pot de beurre.

Narrateur : Le Petit Chaperon rouge partit aussitôt pour aller chez sa mère-grand, qui demeurait dans un autre village. En passant dans un bois, elle rencontra compère le Loup, qui eut bien envie de la manger; mais il n'osa pas, à cause de quelques bûcherons qui étaient dans la forêt.

Loup : Où vas-tu, belle enfant ?

Narrateur : La pauvre enfant, qui ne savait pas qu'il est dangereux de s'arrêter à écouter un loup, lui dit :

Chaperon rouge : Je vais voir ma mère-grand, et lui porter une galette avec un petit pot de beurre que ma mère lui envoie.

Loup : Demeure-t-elle bien loin ?

Chaperon rouge : Oh ! Oui ! C'est par-delà le moulin que vous voyez tout là-bas, à la première maison du village.

Loup : Eh bien ! Je veux y aller aussi ; je m'en vais par ce chemin-ci, et toi, par ce chemin-là, et nous verrons qui le plus tôt y sera.

Narrateur : Le Loup se mit à courir de toute sa force par le chemin qui était le plus court, et la petite fille s'en alla par le chemin le plus long, s'amusant à cueillir des noisettes, à courir après des papillons et à faire des bouquets des petites fleurs qu'elle rencontrait. Le Loup ne fut pas longtemps à arriver à la maison de la mère-grand : Toc, toc.

Mère-grand : Qui est là ?

Loup : C'est votre petite fille le Petit Chaperon rouge qui vous apporte une galette et un petit pot de beurre que ma mère vous envoie.

Narrateur : La bonne mère-grand, qui était dans son lit parce qu'elle se trouvait un peu mal, lui cria :

Mère-grand : Tire la chevillette, la bobinette cherra.

Narrateur : Le loup tira la chevillette, et la porte s'ouvrit. Il se jeta sur la bonne femme, et la dévora en moins de rien, car il y avait plus de trois jours qu'il n'avait mangé. Ensuite, il ferma la porte et alla se coucher dans le lit de la mère-grand, en attendant le Petit Chaperon rouge, qui quelque temps après vint heurter à la porte. Toc, toc.

Loup : Qui est là ?

Narrateur : Le Petit Chaperon rouge, qui entendit la grosse voix du loup, eut peur d'abord, mais croyant que sa mère-grand était enrhumée, répondit :

Chaperon rouge : C'est votre petite-fille le Petit Chaperon rouge, qui vous apporte une galette et un petit pot de beurre que ma mère vous envoie.

Narrateur : Le loup lui cria en adoucissant un peu sa voix :

Loup : Tire la chevillette, la bobinette cherra.

Narrateur : Le Petit Chaperon rouge tira la chevillette, et la porte s'ouvrit. Le loup, la voyant entrer, lui dit en se cachant dans le lit sous la couverture :

Loup : Mets la galette et le petit pot de beurre sur la huche, et viens te coucher avec moi.

Narrateur : Le Petit Chaperon rouge se déshabilla, et alla se mettre dans le lit, où elle fut bien étonnée de voir comment sa mère-grand était faite. Elle lui dit :

Chaperon rouge : Ma mère-grand, que vous avez de grands bras !

Loup : C'est pour mieux t'embrasser, ma fille.

Chaperon rouge : Ma mère-grand, que vous avez de grandes jambes !

Loup : C'est pour mieux courir, mon enfant.

Chaperon rouge : Ma mère-grand, que vous avez de grandes oreilles !

Loup : C'est pour mieux t'écouter, mon enfant.

Chaperon rouge : Ma mère-grand, que vous avez de grands yeux !

Loup : C'est pour mieux te voir, mon enfant.

Chaperon rouge : Ma mère-grand, que vous avez de grandes dents !

Loup : C'est pour mieux te manger !

Narrateur : Et en disant ces mots, le méchant Loup se jeta sur le Petit Chaperon rouge et le mangea.

Que vois-tu?

Relie les points dans l'ordre de 1 à 30 pour découvrir de quelle image il s'agit.

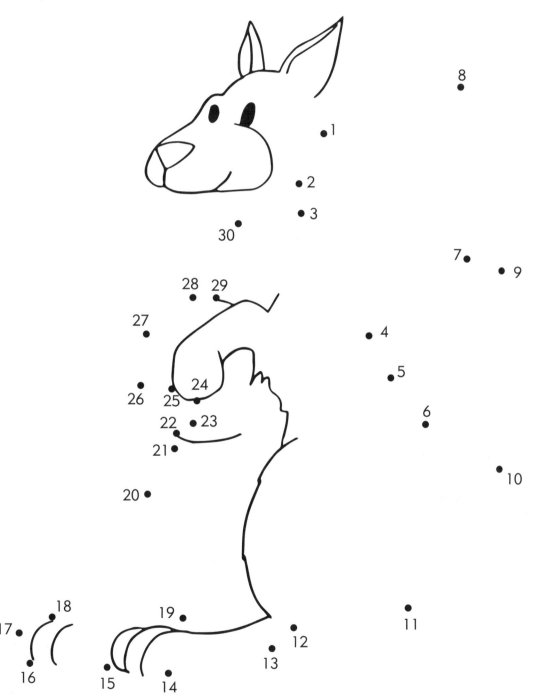

Les liens de parenté

Repère tous ces mots dans la grille. Avec les lettres restantes, compose le mot mystère.

aîné	gendre
bru	jumeaux
cadet	neveu
cousin	nièce
enfant	oncle
épouse	parent
fils	sœur
frère	tante

E	P	O	U	S	E	T	F	J
A	A	I	N	E	N	A	O	U
F	R	E	R	E	F	N	N	M
N	E	V	E	U	A	T	C	E
I	N	M	R	T	N	E	L	A
S	T	B	E	I	T	I	E	U
U	L	D	E	F	I	L	S	X
O	A	C	S	O	E	U	R	L
C	E	E	E	R	D	N	E	G

Mot mystère : _____

Ton mot caché !

Essaie de créer ton mot caché. Choisis d'abord un thème, comme les animaux, les aliments, les métiers, etc. Ensuite, dessine un carré avec le nombre de lignes et de colonnes que tu veux, et remplis-le avec les lettres qui forment les mots que tu as choisis. S'il reste des cases vides, tu peux simplement les colorier.

Trouve l'intrus

Voici une série d'objets. Trouve celui qui n'est pas à sa place et encercle-le.

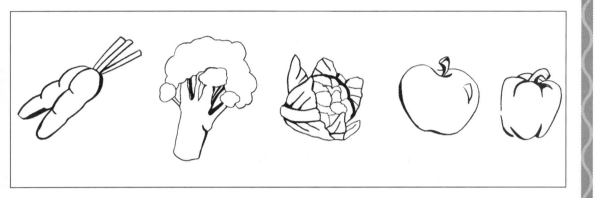

Le règne animal

Repère tous ces mots dans la grille.
Avec les lettres restantes, compose le mot mystère.

aigle	gorille	lion (2 fois)	requin
âne (2 fois)	grenouille	loutre	rhinocéros
autruche	grue	lynx	serpent
caméléon	hibou	mandrill	singe
chat	hippopotame	morse	souris
cygne	jaguar	oie (2 fois)	suricate
élan	koala	ours	tigre
éléphant	lama	panda	vache
flamant	lémur	perroquet	zèbre
girafe	léopard	rat (3 fois)	

L	D	A	U	T	R	U	C	H	E	L	L	I	U	O	N	E	R	G	E
F	E	T	E	U	Q	O	R	R	E	P	S	O	U	R	I	S	R	I	M
N	L	O	U	T	R	E	E	L	T	I	I	K	I	A	S	U	O	N	A
O	E	A	P	B	T	H	L	L	I	O	N	L	O	E	E	R	O	E	T
E	P	I	M	A	C	I	A	R	G	M	G	L	R	A	T	I	U	G	O
L	H	G	R	A	R	D	T	A	R	O	E	L	A	N	L	C	O	O	P
E	A	L	V	D	N	D	D	U	E	R	E	N	E	M	T	A	B	R	O
M	N	E	N	A	A	T	T	G	S	S	E	P	X	M	A	T	I	I	P
A	T	A	P	M	G	I	R	A	F	E	R	E	N	A	U	E	H	L	P
C	M	N	I	U	Q	E	R	J	H	E	N	G	Y	C	A	R	N	L	I
R	H	I	N	O	C	E	R	O	S	C	I	E	L	Z	E	B	R	E	H

Mot mystère : _____

Chacun sa maison!

Relie chaque animal à son habitat.

37

Body Parts

Nomme chaque partie du corps.

Utilise les mots-clés : *eye*, *mouth*, *toes*, *knee*, *ear*, *arm*, *foot*, *shoulder* and *nose*.

Où sont-ils?

Dessine aux endroits demandés les objets ou les personnes.

Dessine un arbre à gauche de la maison.
Dessine une bicyclette dans la rue.
Dessine une cheminée sur le toit de la maison à droite.
Dessine une voiture dans la cour.
Dessine un homme sur le trottoir.
Dessine des pommes dans ton arbre.
Dessine une balançoire à droite de la cour.
Dessine un soleil dans le ciel à gauche.

Seasons

Associe les quatre saisons, en anglais, à ces images : *fall*, *summer*, *winter*, *spring*.

– – – – – – –

– – – – – – – –

– – – – –

– – – – – – –

Les saisons

Repère tous ces mots dans la grille. Avec les lettres restantes, compose le mot mystère.

année	feuille	juin	Pâques	soleil
automne	froid	mai	pelle	tempête
chaud	glace	nager	plage	vent
ciel	glisser	neige	pluie	
décembre	Halloween	Noël	printemps	
épi	hiver	octobre	râteau	
été	igloo	orage	sable	

P	L	U	I	E	E	G	A	R	O
R	E	G	A	N	E	L	B	A	S
I	J	U	I	N	P	S	E	T	O
N	E	I	G	E	I	O	R	E	C
T	L	G	L	A	C	E	B	A	T
E	T	E	O	N	H	T	M	U	O
M	N	S	O	N	A	E	E	H	B
P	E	L	L	E	U	P	C	A	R
S	V	N	S	E	D	M	E	L	E
A	U	T	O	M	N	E	D	L	P
E	H	T	L	E	A	T	I	O	A
G	I	I	E	C	L	I	O	W	Q
A	V	C	I	E	L	E	R	E	U
L	E	L	L	I	U	E	F	E	E
P	R	E	S	S	I	L	G	N	S

Mot mystère : _____

Les problèmes de mathématique

J'ai 20 bonbons dans ma poche. J'en donne 3 à Zoé et 2 à Jonathan. Ensuite, je sépare ce qu'il me reste entre mes deux frères et moi. Combien aurons-nous de bonbons, eux et moi ?

Démarche : _____

_____

_____

Réponse : _____

Mon amie Justine a 3 $ dans sa poche. Elle se rend à l'épicerie pour acheter des jujubes. Cela lui coûte 1,50 $. Ensuite, elle se rend chez moi et me demande de payer la moitié des jujubes. Combien d'argent dois-je donner à Justine ?

Démarche : _____

_____

_____

Réponse : _____

Jonathan s'inscrit à des cours de natation et de karaté, tandis que son amie Zoé s'inscrit seulement au cours de natation. Les deux amis se rendent au guichet du centre communautaire. Jonathan doit donner 36 $, tandis que Zoé doit donner 17 $. Combien coûte le cours de karaté ?

Démarche : _____

_____

_____

Réponse : _____

Croissant ou décroissant ?

Voici une série de nombres. Place-les dans l'ordre croissant.

14 – 2 – 7 – 29 – 13 – 47 – 68

Voici une série de nombres. Place-les dans l'ordre décroissant.

67 – 24 – 19 – 34 – 11 – 37 – 38

Voici certains jours de la semaine. Place-les dans l'ordre inverse. Considère que la semaine commence un dimanche.

mardi – dimanche – jeudi – mercredi – samedi

Voici certains mois de l'année. Place-les dans l'ordre.

mai – octobre – juin – novembre – janvier

Voici une série de nombres. Dans quel ordre est-elle ?

12 – 14 – 18 – 19 – 82 – 99 – 103 _____

Voici une série de nombres. Dans quel ordre est-elle ?

345 – 321 – 298 – 242 – 193 – 2 _____

Les dés chanceux

Avec tes amis, vous devez à tour de rôle lancer deux dés. À chacun de vos tours, vous additionnez les points que vous avez obtenus. Le premier qui arrive à 70 gagne la partie. Cependant, lorsque vous tombez sur le nombre 3, vous perdez 3 points. Utilisez le tableau pour compiler vos points.

Nom					

Les sports

Repère tous ces mots dans la grille. Avec les lettres restantes, compose le mot mystère.

aviron
badminton
baseball
basketball
boxe
curling
cyclisme

danse
équitation
escrime
football
golf
gymnastique
haltérophilie

handball
hockey
karaté
luge
lutte
natation
ski

soccer
sumo
surf
tennis
triathlon

H	B	C	N	A	T	A	T	I	O	N	L	A
A	A	G	Y	M	N	A	S	T	I	Q	U	E
N	D	L	N	C	D	A	N	S	E	B	T	L
D	M	U	T	I	L	F	R	U	S	A	T	N
B	I	G	F	E	L	I	P	M	O	S	E	O
A	N	E	O	X	R	R	S	O	C	K	T	I
L	T	S	O	O	I	O	U	M	C	E	A	T
L	O	C	T	B	N	I	P	C	E	T	R	A
S	N	R	B	G	O	L	F	H	R	B	A	T
T	R	I	A	T	H	L	O	N	I	A	K	I
S	M	M	L	B	A	S	E	B	A	L	L	U
E	K	E	L	T	E	N	N	I	S	L	I	Q
A	V	I	R	O	N	Y	E	K	C	O	H	E

Mot mystère : _____

Eau douce ou salée?

As-tu déjà essayé de mettre un œuf dans l'eau? Qu'est-ce qui est arrivé?
Eh oui, l'œuf coule! Cependant, voici un truc pour le faire flotter.

Tu dois d'abord remplir un
grand verre d'eau. Ajoutes-y
ensuite beaucoup de sel et
brasse jusqu'à ce que tout
le sel soit dissous. Puis, dépose
l'œuf dans le verre et s'il y a
assez de sel, ton œuf devrait
flotter!

En montrant ton expérience à tes parents, tu peux leur expliquer que l'eau salée
est plus lourde que l'eau douce. C'est pourquoi les objets, ou les personnes,
flottent plus facilement dans l'eau salée!

Connais-tu une étendue d'eau dans le monde où l'homme pourrait
se baigner tout en flottant comme ton œuf dans son verre? _____

Le sel et le poivre

Maintenant, sur le comptoir de ta cuisine,
tu vas saupoudrer un peu de sel et de poivre.

Prends ensuite une petite cuillère et frotte-la dans tes cheveux.
Enfin, tiens la cuillère au-dessus du tas de sel et de poivre.

Que se passe-t-il? _____

Pourquoi? _____

_____

_____

L'environnement

Encercle sur ces images les trois actions nuisibles pour l'environnement.

Que faudrait-il changer pour améliorer les trois actions nuisibles que tu as observées ?

1. _____
   _____
   _____

2. _____
   _____
   _____

3. _____
   _____
   _____

Que faites-vous, ta famille et toi, pour aider à protéger l'environnement ?
Est-ce que tu recycles chez toi, par exemple ?
Demande à tes parents ce que vous faites
pour l'environnement et inscris-le ici.

_____

_____

_____

L'ordre alphabétique

Voici une série de mots sur l'environnement. Cherche leur définition dans un dictionnaire, puis place-les dans l'ordre alphabétique.

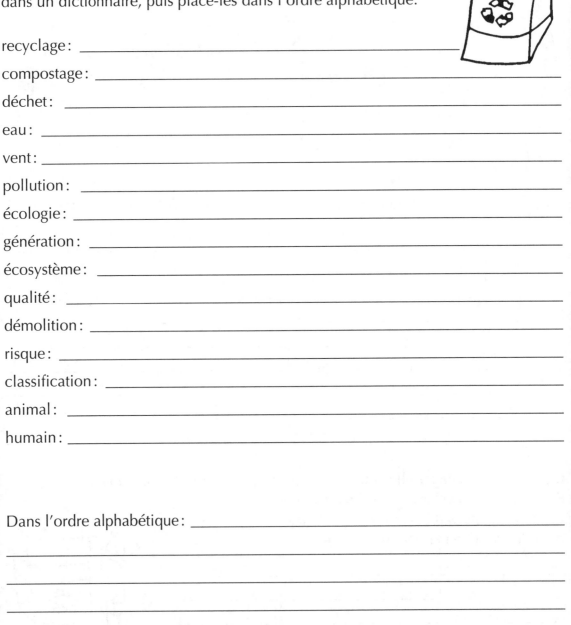

recyclage : _____

compostage : _____

déchet : _____

eau : _____

vent : _____

pollution : _____

écologie : _____

génération : _____

écosystème : _____

qualité : _____

démolition : _____

risque : _____

classification : _____

animal : _____

humain : _____

Dans l'ordre alphabétique : _____

_____

_____

_____

_____

Dallage

Colorie le dallage en respectant le code de couleurs.

Code de couleurs

B = bleu   J = jaune   R = rouge   O = orangé   V = vert

Les fractions

Colorie les cercles selon les consignes.

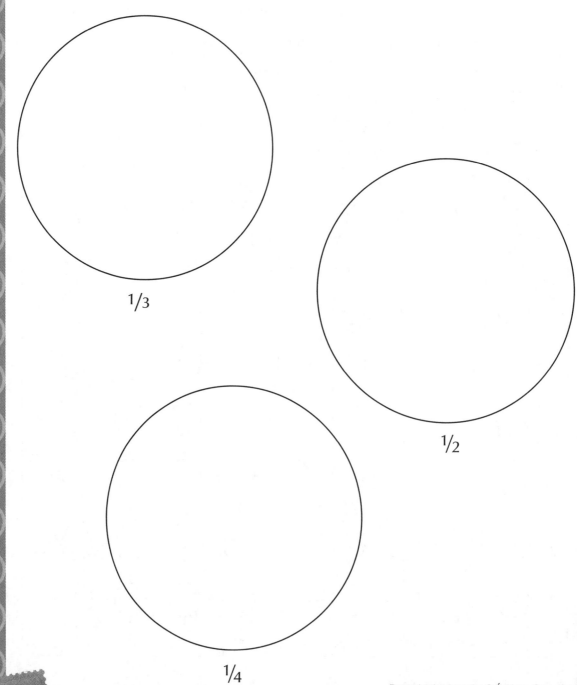

1/3

1/2

1/4

Féminin et masculin

Trouve le féminin des mots suivants.

a) homme : _____

b) chat : _____

c) bon : _____

d) heureux : _____

e) infirmier : _____

f) complet : _____

g) aigu : _____

h) acteur : _____

i) gentil : _____

j) jumeau : _____

k) vieux : _____

l) rigolo : _____

m) patron : _____

n) musulman : _____

Trouve le masculin des mots suivants.

a) muette : _____

b) sèche : _____

c) ambassadrice : _____

d) drôle : _____

e) comtesse : _____

f) pareille : _____

g) Gabrielle : _____

h) chienne : _____

i) légère : _____

j) juive : _____

k) supérieure : _____

l) patineuse : _____

m) longue : _____

n) favorite : _____

La symétrie

Reproduis les images ci-dessous de l'autre côté de la ligne pointillée.

Encore de la symétrie

Reproduis l'image ci-dessous de l'autre côté de la ligne pointillée.

La préhistoire

Repère tous ces mots dans la grille.
Avec les lettres restantes, compose le mot mystère.

âge	évolution	lances	pêche
armes	fer	langue	pierre
bronze	feu	mammouth	polie
carnivore	fruits	Néandertal	poterie
cueillette	grotte	néolithique	préhistoire
chasse	homme	nomade	sédentaire
Darwin	hutte	outil	temps
élevage	kayaks	paléolithique	vie

S	E	E	I	V	H	P	O	T	E	R	I	E	C	I
E	V	R	S	B	U	A	R	O	F	R	U	I	T	S
L	O	O	E	R	T	L	E	E	U	A	R	M	E	S
E	L	V	D	O	T	E	F	N	T	T	E	M	P	S
V	U	I	E	N	E	O	L	I	T	H	I	Q	U	E
A	T	N	N	Z	E	L	A	N	G	U	E	L	H	T
G	I	R	T	E	S	I	G	R	O	T	T	E	O	T
E	O	A	A	I	S	T	S	E	C	N	A	L	M	E
P	N	C	I	F	A	H	N	I	W	R	A	D	M	L
O	I	P	R	E	H	I	S	T	O	I	R	E	E	L
L	A	G	E	Q	C	Q	U	P	I	E	R	R	E	I
I	M	A	M	M	O	U	T	H	P	E	C	H	E	E
E	D	A	M	O	N	E	E	S	K	A	Y	A	K	U
N	E	A	N	D	E	R	T	A	L	S	F	E	U	C

Mot mystère : _____

Apprends à te situer!

Dans ce rectangle quadrillé, tu dois partir de la case noire et suivre les indications pour trouver la case finale. Colorie ton chemin.

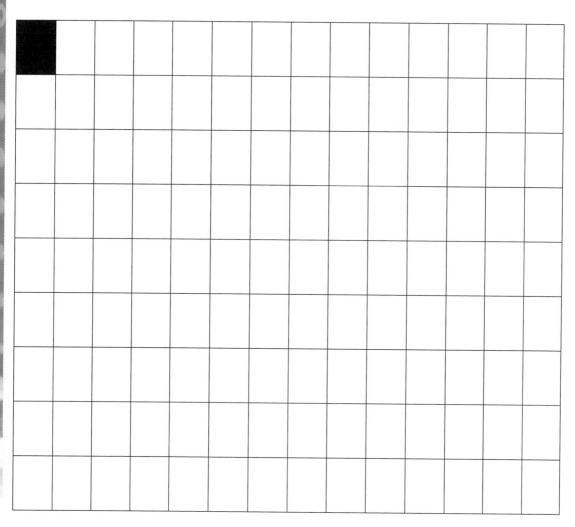

1. Avance de 2 cases vers le bas.
2. Va à droite de 5 cases.
3. Descends de 6 cases.
4. Remonte de 2 cases.
5. Va à droite de 5 cases.
6. Monte de 5 cases.
7. Va à droite de 2 cases.

8. Descends de 3 cases.
9. Va à gauche de 5 cases.
10. Monte de 3 cases.
11. Va à gauche de 2 cases.
12. Monte de 1 case.
13. Va à gauche de 5 cases.

Où arrives-tu? _____

La chaîne alimentaire

La chaîne alimentaire est l'ordre dans lequel les êtres vivants se mangent entre eux. Place dans l'ordre cette chaîne alimentaire.

Quel est le premier animal de la chaîne ? _____

Quel est le deuxième animal de la chaîne ? _____

Quel est le troisième animal de la chaîne ? _____

Quel est le quatrième animal de la chaîne ? _____

Quelles classes d'animaux?

Voici des images d'animaux. Colorie les mammifères en rouge, les oiseaux en bleu et les reptiles en vert.

Animals

Inscris sous les images l'animal qui y est représenté :

tiger, eagle, cat, fish, mouse, shark, whale and *dog*.

1. _____

6. _____

4. _____

2. _____

5. _____

7. _____

3. _____

8. _____

Les cinq sens

De quels sens as-tu besoin pour chacune de ces actions? Il peut y en avoir plusieurs par action.

1. _____

4. _____

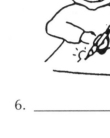

6. _____

2. _____

5. _____

7. _____

3. _____

8. _____

Des charades

Une charade est une forme de devinette qui décompose un mot en plusieurs sons. En trouvant le son correspondant à chaque énoncé, résous les charades suivantes.

a) Mon premier a des dents et sert à couper du bois.
   Mon deuxième est au milieu du visage.
   Mon troisième se trouve sur un voilier.

   On peut voir des films dans mon tout.

   _____

b) Mon premier est un liquide blanc.
   Mon deuxième est un liquide qui n'a pas de goût.
   Mon troisième est le contraire de « arrive ».

   Mon tout est un félin.

   _____

c) On appelle aussi mon premier un chevreuil.
   Mon second a de longues plumes et il se pavane.
   Mon troisième est le contraire de tard.

   Mon tout est le petit du serpent.

   _____

Les sorcières

À l'aide de ta règle, mesure les balais.
Relie ensuite chaque balai à la bonne sorcière.

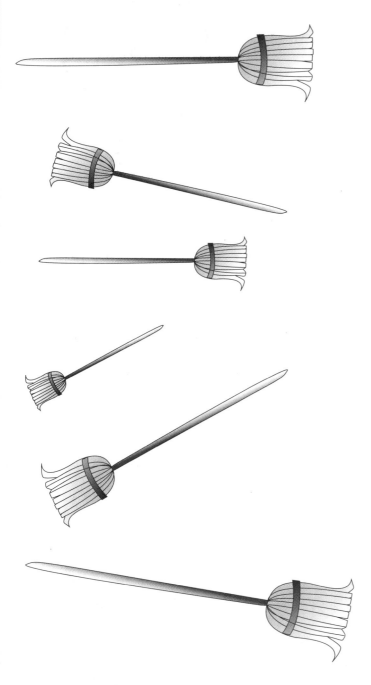

L'heure

Écris en chiffres l'heure représentée sur les cadrans.

1. _____

4. _____

2. _____

5. _____

3. _____

6. _____

Faire des crêpes!

Voici une recette pour faire des crêpes. Demande à tes parents de t'aider.

Ingrédients :

1 œuf

85 ml (1/3 de tasse) de lait

15 ml (1 c. à thé) de beurre

15 ml (1 c. à thé) de sucre

Une pincée de sel

15 ml (1 c. à thé) de poudre à pâte

85 ml (1/3 de tasse) de farine

Mélange tous tes ingrédients.

Si ta pâte est trop claire, ajoute un peu de farine ;
si elle est trop épaisse, ajoute du lait.

Demande à quelqu'un de les faire cuire.

Elles seront délicieuses avec du sirop d'érable, de la
crème anglaise, des petits fruits, un coulis de chocolat
ou d'autres ingrédients que tu aimes bien.

Les vacances!

Amuse-toi à dessiner une scène à la plage.

Le calendrier

Voici un exemple de calendrier. Premièrement, inscris les mois manquants.

2009

JANVIER

D	L	M	M	J	V	S
				1	2	3
4	5	6	7	8	9	10
11	12	13	14	15	16	17
18	19	20	21	22	23	24
25	26	27	28	29	30	31

D	L	M	M	J	V	S
1	2	3	4	5	6	7
8	9	10	11	12	13	14
15	16	17	18	19	20	21
22	23	24	25	26	27	28

D	L	M	M	J	V	S
1	2	3	4	5	6	7
8	9	10	11	12	13	14
15	16	17	18	19	20	21
22	23	24	25	26	27	28
29	30	31				

D	L	M	M	J	V	S
				1	2	3	4
5	6	7	8	9	10	11
12	13	14	15	16	17	18
19	20	21	22	23	24	25
26	27	28	29	30		

MAI

D	L	M	M	J	V	S
					1	2
3	4	5	6	7	8	9
10	11	12	13	14	15	16
17	18	19	20	21	22	23
24	25	26	27	28	29	30
31						

D	L	M	M	J	V	S
	1	2	3	4	5	6
7	8	9	10	11	12	13
14	15	16	17	18	19	20
21	22	23	24	25	26	27
28	29	30				

D	L	M	M	J	V	S
		1	2	3	4	
5	6	7	8	9	10	11
12	13	14	15	16	17	18
19	20	21	22	23	24	25
26	27	28	29	30	31	

D	L	M	M	J	V	S
						1
2	3	4	5	6	7	8
9	10	11	12	13	14	15
16	17	18	19	20	21	22
23	24	25	26	27	28	29
30	31					

(sans titre)

D	L	M	M	J	V	S
	1	2	3	4	5	
6	7	8	9	10	11	12
13	14	15	16	17	18	19
20	21	22	23	24	25	26
27	28	29	30			

OCTOBRE

D	L	M	M	J	V	S
				1	2	3
4	5	6	7	8	9	10
11	12	13	14	15	16	17
18	19	20	21	22	23	24
25	26	27	28	29	30	31

NOVEMBRE

D	L	M	M	J	V	S
1	2	3	4	5	6	7
8	9	10	11	12	13	14
15	16	17	18	19	20	21
22	23	24	25	26	27	28
29	30					

D	L	M	M	J	V	S
		1	2	3	4	5
6	7	8	9	10	11	12
13	14	15	16	17	18	19
20	21	22	23	24	25	26
27	28	29	30	31		

Maintenant…

Colorie en bleu les mois d'hiver.

Colorie en rouge les mois d'automne.

Colorie en jaune les mois d'été.

Colorie en vert les mois du printemps.

Encercle en vert les journées de vacances d'été.

Encercle en rouge Noël.

Encercle en noir l'Halloween.

Encercle en mauve ta fête et celle des membres de ta famille.

Les mots de la même famille

Associe les mots de même famille.

beauté	hivernal
dentiste	jardinage
ensoleillé	dent
hiver	soleil
hôpital	journée
jardin	saut
journalier	laver
lavabo	beau
nouveau	nouveauté
rapidement	rapidité
sauterelle	terrain
territoire	hospitalier

Maintenant, trouve toi-même des mots de même famille et écris-les ci-dessous. Demande à quelqu'un de te corriger.

_____   _____

_____   _____

_____   _____

_____   _____

_____   _____

_____   _____

_____   _____

_____   _____

_____   _____

Crée ton herbier

Sais-tu ce qu'est un herbier ? C'est une collection de feuilles, de plantes et de fleurs séchées et pressées entre des feuilles de papier, qui sert à leur observation et à leur étude. Il te permet de mieux connaître la flore qui t'entoure !

Pour créer ton herbier, tu auras besoin du matériel suivant :

– 1 cahier
– 1 bâton de colle
– 1 stylo
– Des crayons de couleurs (facultatif)

1. Lors d'une promenade en forêt ou dans un champ, cherche différentes feuilles, plantes et fleurs à mettre dans ton herbier.

2. Colle tes trouvailles dans ton cahier, en remplissant une fiche d'identité pour chacune (voir l'exemple plus bas). Cherche dans une encyclopédie ou sur Internet les spécimens de feuilles, de plantes et de fleurs que tu ne connais pas.

3. Décore ton herbier pour le personnaliser. Continue de le remplir lorsque tu trouves d'autres spécimens intéressants.

Exemple de fiche d'identité :

CATÉGORIE	Feuille avec le plus de bosses
NOM	Chêne rouge
HABITAT	Forêt
Autres observations	Écorce de l'arbre lisse, glands dans l'arbre…

Les nombres pairs

Relie les points pairs pour compléter l'image.

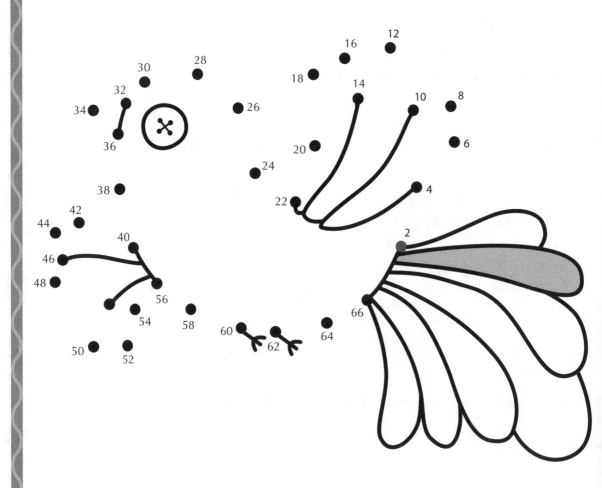

L'argent

Calcule combien j'ai d'argent en comptant les pièces de monnaie.

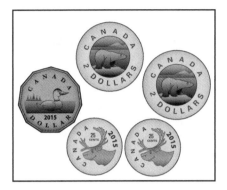

1. _____

4. _____

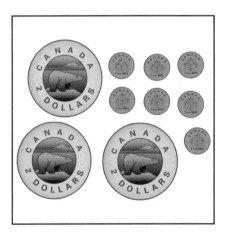

2. _____

5. _____

3. _____

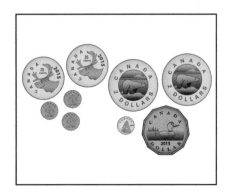

6. _____

L'argent

Maintenant, essaie de faire le contraire. Voici des sommes d'argent:
dessine les pièces de monnaie pour représenter les différents montants.
Il y a plusieurs manières de s'y prendre.

1.   3,25 $

4.   2,48 $

7.   3,89 $

2.   1,76 $

5.   4,65 $

8.   6,89 $

3.   0,89 $

6.   3,23 $

9.   1,99 $

L'orientation

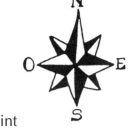

Repère tous ces mots dans la grille.
Avec les lettres restantes, compose le mot mystère.

carte	horizontaux	mesure	point
direction	latitude	nord	rose des vents
est (2 fois)	longueur	occident	rue
géographie	longitude	orient	septentrional
hauteur	mer	ouest	sud
hémisphère	méridional	plan	temps

S	E	P	T	E	N	T	R	I	O	N	A	L
H	L	A	N	O	I	D	I	R	E	M	R	O
O	P	H	A	U	T	E	U	R	L	O	O	N
R	G	O	I	M	N	T	N	I	O	P	S	G
I	E	R	O	E	N	S	T	C	N	N	E	I
Z	O	I	U	S	O	E	C	C	G	O	D	T
O	G	E	E	U	R	I	A	P	U	I	E	U
N	R	N	S	R	D	R	R	L	E	T	S	D
T	A	T	T	E	A	U	T	A	U	C	V	E
A	P	R	N	M	D	E	E	N	R	E	E	I
U	H	T	E	M	P	S	N	A	L	R	N	S
X	I	L	A	T	I	T	U	D	E	I	T	U
H	E	M	I	S	P	H	E	R	E	D	S	D

Mot mystère : _____

Randonnée en forêt

Simon doit traverser la forêt pour se rendre chez lui. Trace deux chemins différents pour aider Simon. Le premier chemin en rouge doit être une ligne courbe. Le deuxième chemin en vert doit être une ligne brisée.

Cueillir des légumes

Mᵐᵉ Milien est très fière de son nouveau jardin. Il est si grand qu'elle s'y perd parfois.

Aide Mᵐᵉ Milien à se retrouver en écrivant les coordonnées de chaque légume.

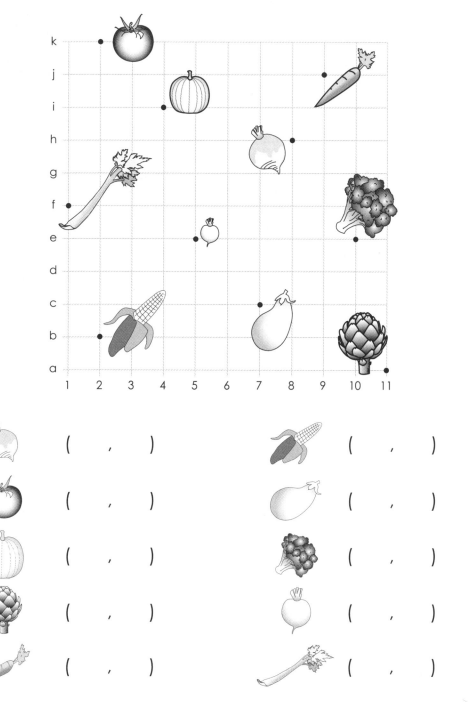

Les points cardinaux

Colorie les points cardinaux de la couleur demandée.

Colorie le nord en bleu.

Colorie l'est en vert.

Colorie l'ouest en orange.

Colorie le sud en rouge.

Maintenant, dirige-toi dans le tableau en suivant les indications :

Déplace-toi de quatre cases vers le sud. Puis, de trois cases vers l'est. Puis, de quatre cases vers le nord. Puis, de deux cases vers l'ouest. Déplace-toi de six cases vers le sud. Puis, de trois cases vers l'est. Puis, de cinq cases vers le nord. Et de deux cases vers l'est. Puis, de trois cases vers le sud. Ensuite, d'une case vers l'ouest. De trois cases vers le sud. De cinq cases vers l'ouest. Puis, d'une case vers le sud. Et finalement de six cases vers l'est. Tu devrais ainsi être sur la case *Arrivée*.

Départ						
						Arrivée

Les métiers

Repère tous ces mots dans la grille.
Avec les lettres restantes, compose le mot mystère.

agriculteur	cardiologue	mécanicien	pharmacien
architecte	compositeur	mime	professeur
auteur	comptable	ministre	psychologue
avocat	ingénieur	navigateur	restaurateur
boucher	juge	notaire	traiteur
bûcheron	maire	peintre	vétérinaire

V	E	T	E	R	I	N	A	I	R	E	R	E	P
R	C	M	I	N	I	S	T	R	E	M	I	M	S
E	C	A	R	D	I	O	L	O	G	U	E	E	Y
S	P	N	R	I	N	G	E	N	I	E	U	R	C
T	N	A	U	T	O	A	U	T	E	U	R	C	H
A	E	V	E	T	R	A	I	T	E	U	R	O	O
U	I	I	T	M	E	R	I	A	T	O	N	M	L
R	C	G	L	A	H	E	R	T	N	I	E	P	O
A	I	A	U	I	C	A	V	O	C	A	T	O	G
T	N	T	C	R	U	I	J	U	G	E	O	S	U
E	A	E	I	E	B	O	U	C	H	E	R	I	E
U	C	U	R	A	R	C	H	I	T	E	C	T	E
R	E	R	G	C	O	M	P	T	A	B	L	E	N
N	M	I	A	P	R	O	F	E	S	S	E	U	R
P	H	A	R	M	A	C	I	E	N	S	T	R	E

Mot mystère : _____

Les métiers

Associe les images de métiers avec les images d'objets utilisés dans ces métiers.

Le recyclage

Encercle les images d'articles que tu peux mettre au bac de recyclage.

Des suites logiques

Observe les suites suivantes et donne le nom de l'image manquante.

a)

_____

b)

_____

c)

_____

d)

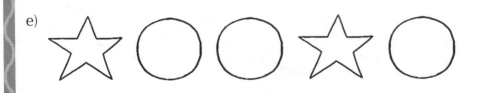

_____

e)

_____

Nom propre ou nom commun?

Place dans les bonnes colonnes les noms suivants. Il y a une colonne pour les noms propres féminins, une deuxième colonne pour les noms propres masculins, une troisième colonne pour les noms propres d'animaux et une quatrième colonne pour les noms communs. N'oublie pas d'ajouter une majuscule aux noms propres!

alice, amélie, charles, benjamin, chantal, cravate, crayon, danielle, diane, garfield, gâteau, james, jennifer, jocelyne, johanne, jonathan, kangourou, livre, mathieu, maxime, mélanie, michel, mini, nicole, olivier, papier, paul, parfum, pelle, pierre-yves, plante, pooky, pongo, poubelle, roger, rox, sara, seau, simon, soussy, tasse, télévision, thérèse, touty, vincent, zoé

Noms propres Féminins	Noms propres Masculins	Noms propres Animaux	Noms communs

Les séries!

Voici des séries de nombres, certains sont manquants.
Tu dois compléter les nombres manquants des séries.

1 - 2 - 3 - _____ - _____ - 6 - 7 - 8 - _____ - _____ - 11 - 12 - _____

2 - 4 - _____ - _____ - 10 - _____ - 14 - _____ - 18 - 20 - _____ - _____

10 - 20 - _____ - _____ - 50 - 60 - _____ - 80 - _____ - _____ - 110

3 - _____ - 9 - 12 - _____ - 18 - _____ - 24 - 27 - 30 - _____ - _____

_____ - 10 - 15 - _____ - _____ - 30 - 35 - 40 - _____ - _____ - _____

100 - 200 - _____ - _____ - 500 - _____ - 700 - _____ - _____ - 1000

300 - _____ - 900 - 1200 - _____ - 1800 - 2100 - _____ - _____

8 - 16 - 24 - _____ - _____ - 48 - _____ - 64 - 72 - _____ - 88 - _____

10 - 11 - 14 - 15 - 18 - 19 - _____ - 23 - 26 - _____ - _____ - _____ - _____

5 - 10 - 12 - 17 - 19- 24 - _____ - _____ - 33 - 38 - 40 - _____ - _____

La somme

Remplis le tableau suivant en additionnant les nombres des lignes verticales et horizontales.

+	0	1	2	3	4	5	6	7	8	9	10
0	0										
1									9		
2											
3				6							
4											
5											
6		7									
7											
8											
9						14				18	
10											

Les statistiques

Voici un graphique d'informations sur les sports.
Réponds aux questions en consultant le graphique.

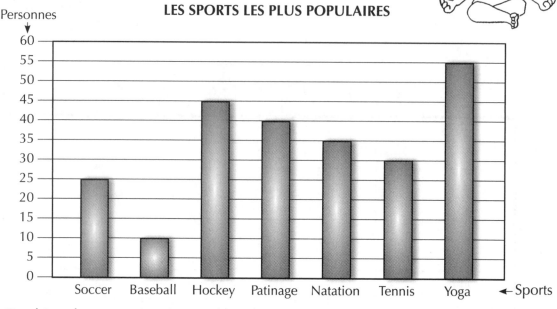

LES SPORTS LES PLUS POPULAIRES

Combien de personnes aiment chaque sport?

Le soccer : _____

Le baseball : _____

Le hockey : _____

Le patinage : _____

La natation : _____

Le tennis : _____

Le yoga : _____

Quel est le sport le plus populaire? _____

Quel est le sport le moins populaire? _____

Y a-t-il plus de personnes qui aiment le tennis que le soccer? _____Combien? _____

Y a-t-il plus de personnes qui aiment le yoga que la natation? _____Combien? _____

Y a-t-il plus de personnes qui aiment le baseball que le patinage? _____

Y a-t-il plus de personnes qui aiment le patinage que la natation? _____Combien? _____

Y a-t-il plus de personnes qui aiment le yoga que le hockey? _____Combien? _____

À ton tour!

Maintenant, tu dois construire toi-même un graphique comme à la page 82.
Tu n'as qu'à suivre les étapes suivantes.

Premièrement, le sujet. Pour ce graphique, tu pourrais utiliser les fruits. Ensuite, tu devras poser la question suivante à 30 personnes : parmi ces fruits, lequel est votre préféré ? Les pommes, les fraises, les bananes, les raisins ou les oranges ? À chaque fois que quelqu'un choisit un fruit, tu l'inscris ici :

pommes : _____

fraises : _____

bananes : _____

raisins : _____

oranges : _____

Utilise l'espace **ci-dessous.** Tout d'abord, il faut
Ensuite, il faut identifier les deux lignes du tableau par les mots *fruits* et *personnes*.
Puis, tu devras graduer la ligne verticale des personnes par intervalles de deux.
Ensuite, tu dois construire 5 colonnes pour les fruits en les arrêtant au nombre de personnes qui les aiment.

Personnes

| Pommes | Fraises | Bananes | Raisins | Oranges | ← Fruits |

House

Nomme les pièces des image suivantes sur cette page. Utilise les mots-clés : *bathroom, bedroom, dining room, kitchen, living room, study room*. Puis, sur la page suivante, identifie les objets qui se trouvent dans ces pièces.

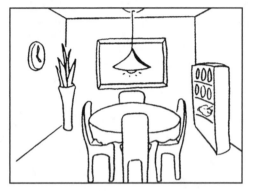

1. _____

4. _____

2. _____

5. _____

3. _____

6. _____

House Things

Mots-clés:
bookcase, chair, couch, desk,
fridge, oven, shower, sink,
table, coffee table.

1. _____

2. _____

3. _____

4. _____

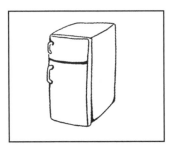

5. _____

6. _____

7. _____

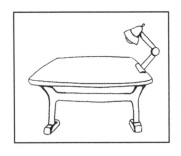

8. _____

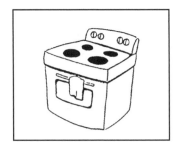

9. _____

10. _____

Hidden Words

Nomme l'objet en anglais sous chaque image, puis écris son nom dans le tableau pour trouver le mot caché.

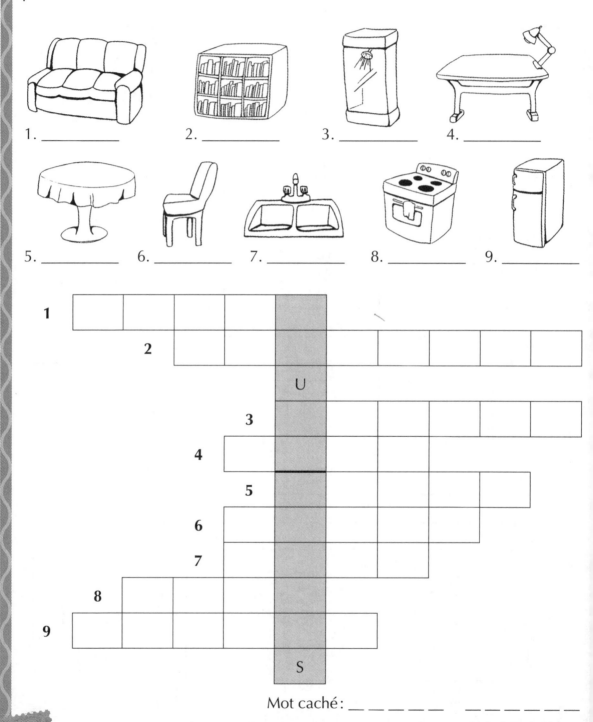

1. _____

2. _____

3. _____

4. _____

5. _____

6. _____

7. _____

8. _____

9. _____

Mot caché : _ _ _ _ _   _ _ _ _ _ _

Where Is It?

Sur chaque image, tu dois écrire en anglais où se trouve la boule de papier chiffonnée. Utilise les mots suivants : *in, on, under*.

1. Under the chair

3. _____

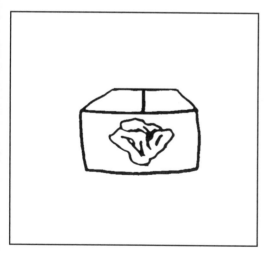

2. _____

4. _____

Quelle image?

Relie les nombres par des bonds de 5 pour trouver l'image cachée.
Ensuite, colorie ton image!

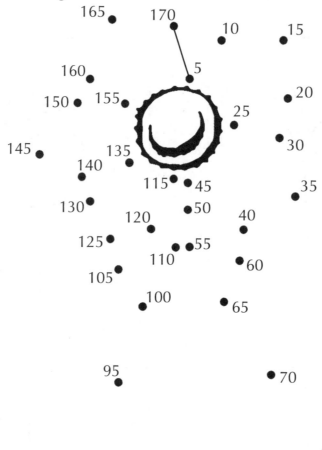

Image cachée : _____

Féminin ou masculin?

Les mots représentant les images dans les séries doivent tous être identiques, féminins ou masculins. Mais il y a un intrus dans chaque série. Trouve-le.

1.

2.

3.

4.

Plus grand, plus petit ?

Inscris le symbole < (plus petit), > (plus grand) ou = (égal) dans les cases suivantes.

1)	3 ☐ 6	14)	82 ☐ 82	27)	43 ☐ 43
2)	8 ☐ 8	15)	37 ☐ 92	28)	81 ☐ 73
3)	5 ☐ 10	16)	59 ☐ 72	29)	27 ☐ 72
4)	19 ☐ 17	17)	19 ☐ 73	30)	18 ☐ 19
5)	12 ☐ 9	18)	101 ☐ 99	31)	24 ☐ 19
6)	29 ☐ 33	19)	39 ☐ 81	32)	46 ☐ 56
7)	28 ☐ 28	20)	49 ☐ 24	33)	75 ☐ 79
8)	47 ☐ 54	21)	39 ☐ 86	34)	32 ☐ 14
9)	29 ☐ 35	22)	14 ☐ 27	35)	98 ☐ 92
10)	129 ☐ 143	23)	69 ☐ 83	36)	112 ☐ 123
11)	162 ☐ 92	24)	89 ☐ 76	37)	42 ☐ 23
12)	45 ☐ 20	25)	38 ☐ 82	38)	12 ☐ 21
13)	18 ☐ 74	26)	17 ☐ 38	39)	36 ☐ 52

Maintenant, un peu plus difficile…

a)	121 121 ☐ 111 123	h)	11 111 ☐ 11 111 111
b)	223 613 ☐ 222 684	i)	99 699 999 ☐ 99 999 699
c)	999 999 ☐ 99 999	j)	824 457 532 ☐ 573 236 521
d)	257 428 ☐ 514 689	k)	245 245 245 ☐ 245 254 254
e)	656 565 ☐ 565 656	l)	767 676 767 ☐ 676 767 676
f)	23 456 789 ☐ 23 456 788	m)	511 000 001 ☐ 511 000 001
g)	213 349 ☐ 356 742	n)	934 439 493 ☐ 934 349 493

Le coloriage !

Amuse-toi à colorier cette image.

Des problèmes de mathématique

Le père de Jonathan lui avait promis de doubler son argent de poche si celui-ci avait de bonnes notes à l'école. Il recevait 5 $ par semaine. À la fin de l'année, Jonathan a eu de très belles notes. Alors son père a doublé l'argent de poche de Jonathan. Jonathan reçoit maintenant le double d'argent à chaque semaine. S'il lui reste 22 $ dans sa tirelire et qu'il y dépose son argent de poche de la semaine, combien a-t-il à présent dans sa banque?

Démarche : _____

_____

Réponse : _____

Johanne donne 5 $ à Zoé pour aller chercher du lait. En chemin, Zoé s'arrête chez sa grand-mère et celle-ci lui donne 4 $ pour acheter de la farine.
À l'épicerie, Zoé achète la farine à 2,45 $ et le lait à 4,55 $.
Combien redonnera-t-elle d'argent à sa grand-mère et à sa mère?

Démarche : _____

_____

Réponse : _____

Andréanne a trois frères. Le plus vieux a 22 ans. Le plus jeune a 10 ans de moins que le plus vieux. Et celui du milieu a l'âge exactement entre les deux. Andréanne a 2 ans de moins que celui du milieu. Quel âge a Andréanne?

Démarche : _____

_____

Réponse : _____

Lorsque Jodie avait 4 ans, son frère avait le triple. Maintenant, Jodie a 13 ans. Quel âge a son frère?

Démarche : _____

_____

Réponse : _____

Pierre-Luc est un artiste peintre. Il possède une galerie où il expose une douzaine de toiles. Chacune de ses toiles se vend 55 $. Hier, Pierre-Luc a vendu 2 toiles et en a ajouté une à sa collection, puisqu'il venait de la terminer. Aujourd'hui, Pierre-Luc a vendu 5 toiles! Combien reste-t-il de toiles dans la galerie de Pierre-Luc et combien d'argent a-t-il gagné?

Démarche : _____

_____

Réponse : _____

La calligraphie

Regarde bien comment on écrit les lettres de l'alphabet. Si tu ne te souviens plus comment faire, tu peux venir consulter cette page.

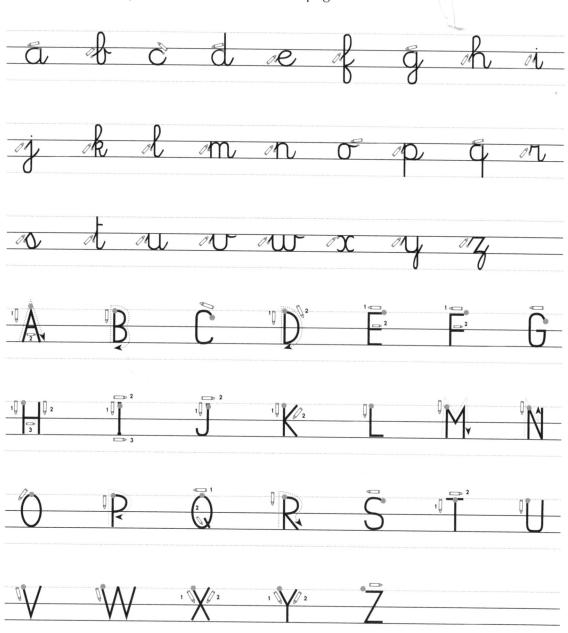

La calligraphie

J'écris la lettre *a*

Exerce-toi à écrire les lettres de l'alphabet.
Attention, tu dois commencer à former la lettre
à partir du point et suivre le sens du crayon.

a a a a a a a a a

a a a a a a a a

La calligraphie

J'écris la lettre *b*

Exerce-toi à écrire les lettres de l'alphabet.
Attention, tu dois commencer à former la lettre
à partir du point et suivre le sens du crayon.

La calligraphie

J'écris la lettre c

Exerce-toi à écrire les lettres de l'alphabet.
Attention, tu dois commencer à former la lettre
à partir du point et suivre le sens du crayon.

La calligraphie

J'écris la lettre *d*

Exerce-toi à écrire les lettres de l'alphabet.
Attention, tu dois commencer à former la lettre
à partir du point et suivre le sens du crayon.

La calligraphie

J'écris la lettre e

Exerce-toi à écrire les lettres de l'alphabet.
Attention, tu dois commencer à former la lettre
à partir du point et suivre le sens du crayon.

e e e e e e e e e

e e e e e e e e e

La calligraphie

J'écris la lettre *f*

Exerce-toi à écrire les lettres de l'alphabet.
Attention, tu dois commencer à former la lettre
à partir du point et suivre le sens du crayon.

La calligraphie

J'écris la lettre *g*

Exerce-toi à écrire les lettres de l'alphabet.
Attention, tu dois commencer à former la lettre
à partir du point et suivre le sens du crayon.

g   g   g   g   g   g   g   g   g

g   g   g   g   g   g   g   g   g

La calligraphie

J'écris la lettre *h*

Exerce-toi à écrire les lettres de l'alphabet.
Attention, tu dois commencer à former la lettre
à partir du point et suivre le sens du crayon.

h *h* *h* *h* *h* *h* *h* *h* *h*

h *h* *h* *h* *h* *h* *h* *h*

La calligraphie

J'écris la lettre *i*

Exerce-toi à écrire les lettres de l'alphabet.
Attention, tu dois commencer à former la lettre
à partir du point et suivre le sens du crayon.

La calligraphie

J'écris la lettre *j*

Exerce-toi à écrire les lettres de l'alphabet.
Attention, tu dois commencer à former la lettre
à partir du point et suivre le sens du crayon.

La calligraphie

J'écris la lettre *k*

Exerce-toi à écrire les lettres de l'alphabet.
Attention, tu dois commencer à former la lettre
à partir du point et suivre le sens du crayon.

La calligraphie

J'écris la lettre *l*

Exerce-toi à écrire les lettres de l'alphabet.
Attention, tu dois commencer à former la lettre
à partir du point et suivre le sens du crayon.

La calligraphie

J'écris la lettre *m*

Exerce-toi à écrire les lettres de l'alphabet.
Attention, tu dois commencer à former la lettre
à partir du point et suivre le sens du crayon.

m m m m m m m

m m m m m m m

La calligraphie

J'écris la lettre *n*

Exerce-toi à écrire les lettres de l'alphabet.
Attention, tu dois commencer à former la lettre
à partir du point et suivre le sens du crayon.

La calligraphie

J'écris la lettre *o*

Exerce-toi à écrire les lettres de l'alphabet.
Attention, tu dois commencer à former la lettre
à partir du point et suivre le sens du crayon.

La calligraphie

J'écris la lettre *p*

Exerce-toi à écrire les lettres de l'alphabet.
Attention, tu dois commencer à former la lettre
à partir du point et suivre le sens du crayon.

p p p p p p p p

p p p p p p p p

La calligraphie

J'écris la lettre *q*

Exerce-toi à écrire les lettres de l'alphabet.
Attention, tu dois commencer à former la lettre
à partir du point et suivre le sens du crayon.

La calligraphie

J'écris la lettre *r*

Exerce-toi à écrire les lettres de l'alphabet.
Attention, tu dois commencer à former la lettre
à partir du point et suivre le sens du crayon.

La calligraphie

J'écris la lettre *s*

Exerce-toi à écrire les lettres de l'alphabet.
Attention, tu dois commencer à former la lettre
à partir du point et suivre le sens du crayon.

La calligraphie

J'écris la lettre *t*

Exerce-toi à écrire les lettres de l'alphabet.
Attention, tu dois commencer à former la lettre
à partir du point et suivre le sens du crayon.

La calligraphie

J'écris la lettre *u*

Exerce-toi à écrire les lettres de l'alphabet.
Attention, tu dois commencer à former la lettre
à partir du point et suivre le sens du crayon.

La calligraphie

J'écris la lettre v

Exerce-toi à écrire les lettres de l'alphabet.
Attention, tu dois commencer à former la lettre
à partir du point et suivre le sens du crayon.

La calligraphie

J'écris la lettre *w*

Exerce-toi à écrire les lettres de l'alphabet.
Attention, tu dois commencer à former la lettre
à partir du point et suivre le sens du crayon.

La calligraphie

J'écris la lettre *x*

Exerce-toi à écrire les lettres de l'alphabet.
Attention, tu dois commencer à former la lettre
à partir du point et suivre le sens du crayon.

La calligraphie

J'écris la lettre y

Exerce-toi à écrire les lettres de l'alphabet.
Attention, tu dois commencer à former la lettre
à partir du point et suivre le sens du crayon.

La calligraphie

J'écris la lettre *z*

Exerce-toi à écrire les lettres de l'alphabet.
Attention, tu dois commencer à former la lettre
à partir du point et suivre le sens du crayon.

La calligraphie appliquée

Recopie les noms suivants en lettres cursives.
Tu peux t'aider de la page 93 pour former tes lettres.

L'école

gomme à effacer : _____

eraser : _____

colle en bâton : _____

copybook : _____

stylo : _____

glue stick : _____

règle : _____

markers : _____

sac d'école : _____

pencil case : _____

Les animaux

alligator : _____

kangourou : _____

babouin : _____

koala : _____

bœuf : _____

loutre : _____

castor : _____

mouffette : _____

dinosaure : _____

okapi : _____

écureuil : _____

panthère : _____

Les codes secrets!

Voici un message secret. Tu dois utiliser le code que nous avons trouvé pour déchiffrer le message.

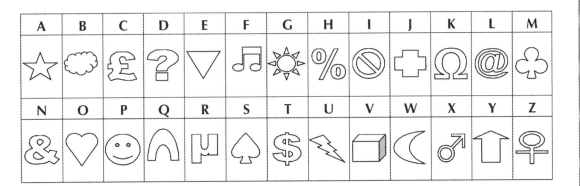

_____

_____

_____

_____

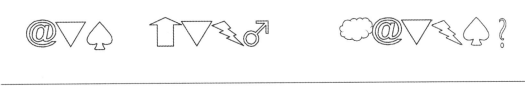

_____

_____

Sudoku!

Tu dois remplir les tableaux avec les nombres de 1 à 6. Cependant, le même nombre ne peut pas se trouver deux fois dans la même colonne, la même rangée ou le même carré!

3				4	2
		2			
		4	1	5	3
2	6	3	5		
			4		
	5				6

1	6				2
		1		5	
5					6
2	1		5	4	3
		2			
		4		2	1

Les différences

Il existe 9 différences entre les deux images suivantes. Encercle-les.

Le jeu de mémoire

Avec tes amis, tu vas pouvoir jouer à ce jeu de mémoire.

Voici comment cela fonctionne.

À tour de rôle, vous allez répéter la phrase suivante : « Amélie part en voyage, elle met dans sa valise… » en ajoutant un objet nouveau chaque fois, tout en répétant les objets des autres, dans le bon ordre ! Voici un exemple.

Le premier joueur dit :

« Amélie part en voyage, elle met dans sa valise… **une pomme.** »

Ensuite, le joueur deux continue :

« Amélie part en voyage, elle met dans sa valise **une pomme** et **un ballon de plage**. »

Puis, le joueur trois continue :

« Amélie part en voyage, elle met dans sa valise **une pomme**, **un ballon de plage** et **un livre**. »

Finalement, chaque joueur nomme un objet, et vous continuez en rond. Lorsqu'un joueur se trompe, il est éliminé. Le gagnant sera le dernier à rester à la fin du jeu.

Le jeu d'additions

Parmi tous ces nombres, deux ont une somme égale à 850. Tous les autres ont une somme de 920. Tu dois additionner deux nombres et lorsque leur somme est 920, tu les encercles. Tu répètes tes additions jusqu'à ce qu'il ne te reste que les deux nombres mystères. Ces deux nombres ont une somme de 850. Bonne chance !

449	639	686	281
528	392	57	399
347	487	124	334
184	267	303	146
889	31	871	744
49	879	573	426
168	507	226	752
602	68	562	413
852	433	857	586
234	521	648	199
212	721	41	617
471	863	159	176
358	424	427	708
694	774	736	318
35	493	885	653
761	272	796	63

Les deux nombres mystères sont : _____ et _____.

Clothing Items

Nomme chaque vêtement en utilisant les mots-clés ci-dessous :

bathing suit, blouse, boots, cap, coat, dress, gloves, hat, jeans, mittens, pants, pyjamas, sandals, scarf, shirt, shoes, shorts, skirt, slippers, sock and *tuque.*

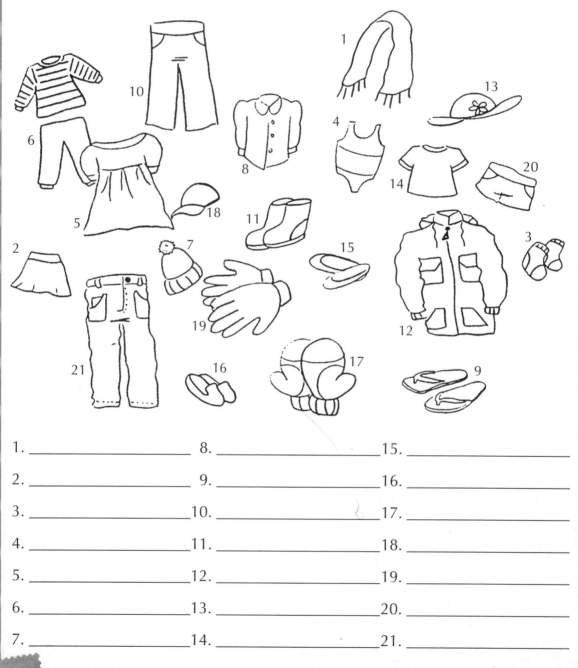

1. _____   8. _____   15. _____

2. _____   9. _____   16. _____

3. _____   10. _____   17. _____

4. _____   11. _____   18. _____

5. _____   12. _____   19. _____

6. _____   13. _____   20. _____

7. _____   14. _____   21. _____

Les océans

Lis l'article sur les océans, puis teste tes connaissances en répondant aux questions.

Les océans sont de vastes étendues d'eau salée. L'eau salée représente 97 % de l'eau sur Terre. Évidemment, il n'y a pas que les océans, mais aussi une dizaine de mers.

En général, on compte cinq océans majeurs. L'**océan Pacifique** est de loin le plus grand et le plus profond. Il recouvre le tiers de la planète Terre ! L'**océan Atlantique**, lui, est le deuxième plus gros. C'est dans cet océan que se jette le fleuve Saint-Laurent. L'**océan Indien** est situé presque complètement dans l'hémisphère Sud, entre l'Afrique et l'Australie. L'**océan Antarctique** encercle le pôle Sud. Enfin, il y a l'**océan Arctique,** qui n'est pas très grand ni très profond. Il n'est pas considéré par tous comme un océan. Certains pensent qu'il n'est que la suite des océans Atlantique et Pacifique.

L'endroit le plus profond parmi tous les océans est situé dans l'océan Pacifique, dans une fosse qui s'appelle **fosse des Mariannes** (près des îles du même nom, au sud du Japon et au nord de l'Australie). Cette fosse est assez vaste, et le point le plus profond de la fosse se nomme **abysse Challenger**. Celle-ci fut explorée en 1951 par un navire nommé *Challenger II,* appartenant aux Britanniques. Le fond des océans reste cependant encore très peu exploré.

Questions

1. Quel pourcentage de l'eau sur Terre l'eau salée représente-t-elle ? _____

2. Dans quel océan se déverse le fleuve Saint-Laurent ? _____

3. Combien y a-t-il d'océans majeurs ? _____

   Nomme-les. _____

   _____

4. Quel est l'océan le plus volumineux (grand et profond) ? _____

5. Quel océan n'est pas considéré par tous comme un océan ? _____

6. Quel océan se retrouve presque complètement dans l'hémisphère Sud ? _____

7. Comment se nomme l'endroit le plus profond dans l'océan ? _____

   Par qui cet endroit fut exploré en 1951 ? _____

Les solides

Écris le nom des solides suivants.

1. _____ 2. _____ 3. _____ 4. _____

5. _____ 6. _____ 7. _____ 8. _____

Maintenant, colorie les solides qui ont une face courbe.

Dessine un objet de tous les jours qui ressemble à chaque solide.

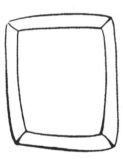 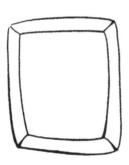 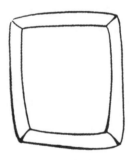 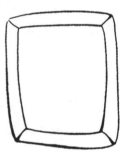

1. _____ 2. _____ 3. _____ 4. _____

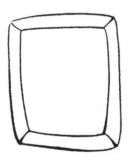   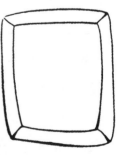

5. _____ 6. _____ 7. _____ 8. _____

Un conte des frères Grimm

Connais-tu Jacob et Wilhelm Grimm? Ce sont deux frères qui ont vécu au 19e siècle en Allemagne. Au cours de leur vie, ils ont mis par écrit des dizaines de contes oraux, comme *La belle au bois dormant*, *Le petit chaperon rouge* ou *Hansel et Gretel*.

Les contes sont de courtes histoires qui contiennent souvent une morale ou une leçon de vie. Demande à un adulte de lire le conte suivant des frères Grimm avec toi et réponds aux questions de la page 132. Cherche les mots que tu ne connais pas dans le dictionnaire.

Le lièvre et le hérisson

Un hérisson se tenait devant la porte de sa maison, par un beau dimanche matin. Tout en chantant, il lui vint à l'idée qu'il pourrait bien faire un bout de promenade à travers champs, pour voir ce que devenaient les navets. Le hérisson tira derrière lui la porte de la maison et prit le chemin du champ. Il n'était pas encore très loin quand il rencontra le lièvre, qui était en route avec les mêmes intentions que lui: il voulait aller voir ses choux. Le hérisson le salua amicalement. Le lièvre, monsieur horriblement fier, ne lui rendit même pas son salut, se contentant de lui dire d'un air mielleux:

– Comment se fait-il que tu te promènes dans les champs de si bon matin?

– Je me promène, répondit le hérisson.

– Tu te promènes? ricana le lièvre. J'ai l'impression que tu pourrais te servir de tes jambes à meilleur usage.

Ce discours irrita énormément le hérisson.

– T'imaginerais-tu, dit-il au lièvre, que tu peux mieux faire que moi avec tes jambes ?

– Je me l'imagine ! lui dit le lièvre.

– Eh bien ! dit le hérisson, nous allons voir. Je suis sûr de te dépasser si nous faisons une course.

– Tu plaisantes ! Toi, avec tes jambes tordues ? dit le lièvre. Mais enfin, d'accord, si tu y tiens absolument. Que parions-nous ?

– Un louis d'or et une bouteille de vin, dit le hérisson.

– Accepté, répondit le lièvre. Topons là et on pourra y aller.

– Non, ce n'est pas si pressé, dit le hérisson. Je suis encore à jeun. Je vais d'abord aller à la maison pour prendre mon petit-déjeuner. Dans une demi-heure, je serai de nouveau ici.

Le lièvre accepta et le hérisson s'en alla. En chemin, il pensa : « Le lièvre s'en remet à ses longues jambes. Mais je l'aurai quand même. Il a beau être un monsieur considérable, il n'en est pas moins un pauvre sot. Il faudra bien qu'il paye ! » Quand il arriva chez lui, il dit à sa femme :

– Habille-toi vite ! Il faut que tu viennes aux champs avec moi.

En cours de chemin, le hérisson dit à sa femme :

– Écoute bien ce je vais te dire ; tu vois, c'est dans ce champ que nous allons faire la course. Le lièvre court dans ce sillon, moi dans cet autre. Nous partirons de là-bas. Tu n'as rien d'autre à faire qu'à te placer au bout de ce sillon et quand le lièvre arrivera, tu diras : « Je suis déjà arrivé ».

Arrivé sur place, le hérisson laissa sa femme à un bout du champ et se rendit à l'autre extrémité. Le lièvre l'attendait.

– On peut y aller ? demanda-t-il.

– Bien sûr, répondit le hérisson.

– Eh bien ! allons-y !

Et chacun de prendre place dans son sillon. Le lièvre compte : « Un, deux, trois. »
Et il démarra avec la vitesse d'un vent d'orage. Le hérisson, lui, ne fit que trois
ou quatre pas, se coucha au fond du sillon et ne bougea plus. Lorsque le lièvre
en plein élan arriva au bout du champ, la femme du hérisson lui cria :
« Je suis déjà ici ! »

Le lièvre n'en revenait pas. Il croyait que c'était le hérisson lui-même qui lui parlait.
Sa femme avait exactement la même apparence que lui. Mais le lièvre dit :
« Ce n'est pas naturel. » Et il s'écria : « Je vais courir dans l'autre sens ! »

Et, de nouveau, il partit comme une tempête. Ses oreilles volaient au-dessus de
sa tête. La femme du hérisson resta tranquillement à sa place. Quand le lièvre arriva
à l'autre extrémité du champ, le hérisson lui cria : « Je suis déjà ici ! »

Le lièvre, que la passion mettait hors de lui, s'écria :

– On refait le même chemin ?

– Ça m'est égal, dit le hérisson. Aussi longtemps que tu voudras.

Et c'est ainsi que le lièvre courut encore soixante-treize fois et le hérisson gagnait
toujours. Chaque fois que le lièvre arrivait en bas ou en haut du champ, le hérisson
ou sa femme disaient : « Je suis déjà ici ! »

À la soixante-quatorzième fois, le lièvre n'arriva pas jusqu'au bout du parcours.
Il tomba au milieu du champ. Il était mort. Le hérisson prit le louis d'or et la bouteille
de vin qu'il avait gagnés, appela sa femme, et tous deux, bien contents, regagnèrent
leur maison.

C'est ainsi qu'il arriva sur la lande qu'un lièvre fit la course avec un hérisson jusqu'à
en mourir. Et depuis ce jour-là, dans ce pays, aucun lièvre ne s'est laissé prendre
à parier pour une course avec un hérisson.

Le lièvre et le hérisson en questions

Avec un adulte, réponds aux questions suivantes sur le conte *Le lièvre et le hérisson* des frères Grimm.

1. En survolant le texte à nouveau, trouvez des éléments qui décrivent les deux personnages principaux.

   Le hérisson : _____

   _____

   Le lièvre : _____

   _____

2. Que pensez-vous de l'attitude des deux personnages principaux ?

   Le hérisson : _____

   _____

   Le lièvre : _____

   _____

3. Selon vous, quelle est la leçon de vie ou la morale à tirer de ce conte ?

   _____

   _____

   _____

   _____

L'alphabet en nature

Voici un jeu amusant à réaliser entre amis pour découvrir la nature qui vous entoure !

Pour le jeu L'alphabet en nature, vous aurez besoin du matériel suivant :

– Un stylo ou un crayon

– La feuille « L'alphabet en nature » (voir les pages 134-135)

Objectif :

Trouver le plus d'éléments de la nature dont la première lettre correspond à une lettre de l'alphabet (par exemple, « arbre » pour A).

Marche à suivre :

1. Formez deux équipes composées du même nombre de participants.

2. Découpez les feuilles « L'alphabet en nature », aux pages 134 et 135 du cahier. Désignez un responsable de la feuille dans chaque équipe.

3. Demandez à un adulte de vous donner le départ. Synchronisez vos montres avec la sienne.

4. Partez à la recherche de vos éléments naturels. Notez vos trouvailles sur vos feuilles.

   *Astuce : Pour éviter de rencontrer l'autre équipe, partez dans des directions différentes.

5. Au bout de 30 minutes, revenez au point de départ et demandez à un adulte de valider vos résultats. L'équipe qui a le plus de mots gagne !

L'alphabet en nature

A : _____   N : _____

B : _____   O : _____

C : _____   P : _____

D : _____   Q : _____

E : _____   R : _____

F : _____   S : _____

G : _____   T : _____

H : _____   U : _____

I : _____   V : _____

J : _____   W : _____

K : _____   X : _____

L : _____   Y : _____

M : _____   Z : _____

L'alphabet en nature

A : _____   N : _____

B : _____   O : _____

C : _____   P : _____

D : _____   Q : _____

E : _____   R : _____

F : _____   S : _____

G : _____   T : _____

H : _____   U : _____

I : _____   V : _____

J : _____   W : _____

K : _____   X : _____

L : _____   Y : _____

M : _____   Z : _____

Encore des charades

Une charade est une forme de devinette qui décompose un mot en plusieurs sons. En trouvant le son correspondant à chaque énoncé, résous les charades suivantes.

a) Mon premier est un métal précieux.
   Mon second est le verbe « dire » au présent et au singulier.
   Mon troisième est un autre mot pour « tresse ».
   Mon quatrième est ce qu'indique une horloge.

   Mon tout est un appareil électronique.

   _____

b) Mon premier est un moyen de transport.
   Mon second est un moyen de transport.

   Mon tout est un moyen de transport.

   _____

c) Mon premier est le contraire d'amateur.
   Mon second est une partie du corps sur laquelle on s'assoit.
   Mon troisième est indiqué par la petite aiguille d'une montre.

   Mon tout travaille dans une école.

   _____

d) Mon premier est une partie du corps qui porte la tête.
   Mon second est la partie du corps qui produit du lait chez la femme.

   Mon tout sert à s'appuyer sur le divan.

   _____

Fais germer des graines dans l'eau

Pour faire germer tes graines dans l'eau, tu auras besoin du matériel suivant :

- 4 graines (par exemple, haricots ou pois)
- 1 grand essuie-tout
- 1 petit sac plastique refermable
- ½ tasse d'eau
- 1 agrafeuse
- 1 règle
- 1 rouleau de ruban adhésif

1. Plie l'essuie-tout pour qu'il rentre parfaitement dans le sac plastique. Mets-le ensuite dedans.

2. Agrafe horizontalement quelques agrafes à 5 cm du haut, pour servir d'appui aux graines. (Voir l'illustration à la page 139)

3. Verse l'eau dans le sac en demandant à quelqu'un de le tenir.

4. Mets les graines dans le sac. Assure-toi de bien les séparer.

5. Ferme hermétiquement le sac, en faisant sortir tout l'air de l'intérieur.

6. Colle le sac sur une fenêtre avec le ruban adhésif.

7. Chaque jour, observe les graines et note la progression de la pousse des racines et des tiges dans ton cahier à la page 139 (par exemple, Jour 2 : Apparition des racines).

8. Quand les tiges et les racines sont assez longues, plante-les dans la terre !

Fais germer des graines dans l'eau: suite

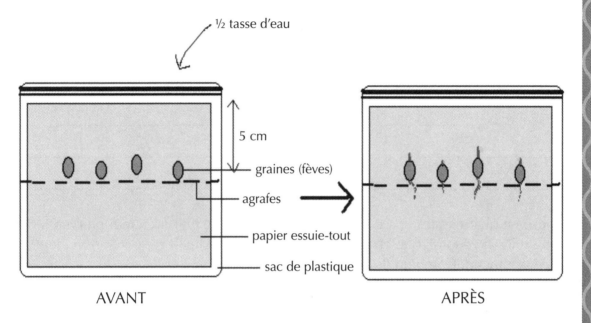

½ tasse d'eau

5 cm

graines (fèves)

agrafes

papier essuie-tout

sac de plastique

AVANT

APRÈS

Jour 1 : _____

Jour 2 : _____

Jour 3 : _____

Jour 4 : _____

Jour 5 : _____

Jour 6 : _____

Jour 7 : _____

D'autres problèmes de mathématique

a) Sandrine a envie de faire une promenade. Elle décide de parcourir 3 km. Cependant, parce qu'elle est fatiguée, elle s'arrête en plein milieu de sa promenade. Sachant qu'un kilomètre équivaut à 1 000 mètres, combien parcourt-elle de mètres avant et après son arrêt ?

Démarche : _____

_____

_____ Réponse : _____

b) Justin a quatre frères et sœurs. Il décide de leur faire plaisir en leur préparant des biscuits. Il voudrait que chacun en ait quatre et que lui et ses parents en aient deux chacun. Combien doit-il faire de biscuits en tout ?

Démarche : _____

_____

_____ Réponse : _____

c) Clément et Sabrina sont amis depuis qu'ils ont deux ans. Aujourd'hui, ils ont chacun 9 ans. Pendant combien de temps ont-ils été amis, sachant qu'ils ont été en chicane à deux reprises pendant six mois ?

Démarche : _____

_____

_____ Réponse : _____

Des expressions déformées

Pour chaque définition, coche l'expression correcte.

Définition	Expression	✓
a) Abandonner, laisser ce qu'on a commencé	1. Accrocher ses patins	
	2. Accrocher sa chemise	
b) Être occupé par quelque chose de plus important	1. Avoir d'autres tapis à secouer	
	2. Avoir d'autres chats à fouetter	
c) Être ingénieux	1. Être futé comme un lynx	
	2. Être futé comme un renard	
d) Être courageux, ne pas se laisser rebuter par la tâche	1. Avoir du cœur au ventre	
	2. Avoir le cœur sur la main	
e) Être une personne responsable, sensée	1. Se mettre la tête dans le sable	
	2. Avoir une tête sur les épaules	
f) Gesticuler beaucoup en parlant	1. Avoir les baguettes en l'air	
	2. Avoir les garcettes en l'air	

Encore du coloriage!

Amuse-toi à colorier cette image.

Mandala

Amuse-toi à colorier ce mandala.

Bravo!

Félicitations, tu as bien travaillé !
Tu mérites amplement ton diplôme.

Ce diplôme est remis à

_____

(Écris ton nom)

qui a terminé avec succès

EN ROUTE
VERS LA 3e ANNÉE

en ce _____ du mois de _____ de l'an _____ .

Félicitations !

Solutions

Page 11

Jonathan : Cowansville, cochon d'Inde
Mika, hamster Toupie, poisson-clown,
le 31 octobre, rouge, les pâtes.

Zoé : 6 ans, Pierre-Yves, Michel et Johanne,
Jonathan, chef cuisinière, poisson.

Pierre-Yves : 19 ans, cuisinier, poulet,
bleu royal.

Page 14

40 + 20 + 40 = 100 (vert)

10 + 10 + 30 = 50 (jaune)

58 − 8 = 50 (jaune)

125 − 25 = 100 (vert)

27 + 23 = 50 (jaune)

22 + 3 + 25 = 50 (jaune)

Page 15

Page 16

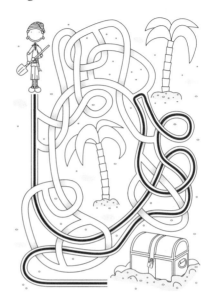

Page 17

a) Miauler b) Bêler c) Caqueter
d) Hennir e) Japper f) Grogner

Page 18

Un X devrait se trouver sur les images
suivantes : araignée, filet et aérosol.

Page 21

A	F	D
G	B	H
E	C	I
B	G	I
D	C	E
A	H	F

Page 25

Chats, bouteilles, choux, bois, papiers, mains, coraux, rouges, peaux, grands-mères, éléphants, frères, sœurs, pyjamas, soirées, arcs-en-ciel, gorilles, paons, dictionnaires, automobiles.

Page 26

Chant : champ, mère : maire, paire : père, fin : faim, chère : chaire, celle : selle, ballet : balai, chaîne : chêne, haute : hôte, cygne : signe, autel : hôtel, vis : vice.

Page 27

Ce fut un grand Vaisseau taillé dans l'or massif,

Ses mâts touchaient l'azur, sur des mers inconnues ;

La Cyprine d'amour, cheveux épars, chairs nues,

S'étalait à sa proue, au soleil excessif.

Mais il vint une nuit frapper le grand écueil

Dans l'Océan trompeur où chantait la Sirène,

Et le naufrage horrible inclina sa carène

Aux profondeurs du Gouffre, immuable cercueil.

Ce fut un Vaisseau d'Or, dont les flancs diaphanes

Révélaient des trésors que les marins profanes,

Dégoût, Haine et Névrose ont entre eux disputés.

Que reste-t-il de lui dans la tempête brève ?

Qu'est devenu mon cœur, navire déserté ?

Hélas ! Il a sombré dans l'abîme du Rêve !

Page 34

Famille

Page 35

Pomme, épi de blé d'Inde, citron

Page 36

Diable de Tasmanie

Page 37

Dauphin : océan, dromadaire : désert, ours polaire : Arctique, singe : jungle, vache : ferme.

Page 38

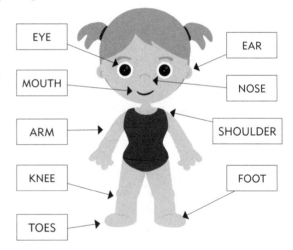

EYE
EAR
MOUTH
NOSE
ARM
SHOULDER
KNEE
FOOT
TOES

Page 40

Spring

Winter

Fall

Summer

Page 41

Solstice

Page 42

Démarche : 20 – 3 = 17
17 – 2 = 15
15 / 3 = 5
Réponse :   5 bonbons chacun

Démarche : 1,50 $ / 2 = 0,75 $
Réponse :   75 ¢ ou 0,75 $

Démarche : 36 $ – 17 $ = 19 $
Réponse :   19 $

Page 43

2-7-13-14-29-47-68
67-38-37-34-24-19-11
Samedi – jeudi – mercredi – mardi -
dimanche
Janvier – mai – juin – octobre - novembre
Croissant
Décroissant

Page 45

Alpinisme

Page 46

La mer Morte, située au Moyen-Orient.
Le poivre est attiré vers la cuillère à cause
de l'électricité statique.

Page 47

Jeter ses déchets par terre, fumer une
cigarette, conduire une voiture.

Page 48

Animal, classification, compostage, déchet,
démolition, eau, écologie, écosystème,
génération, humain, pollution, qualité,
recyclage, risque, vent.

Page 49

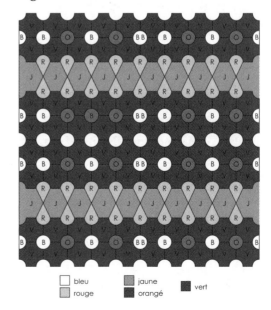

bleu   jaune   vert
rouge   orangé

Page 50

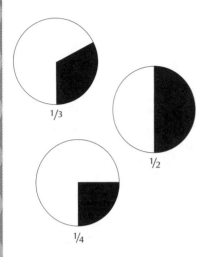

1/3

1/2

1/4

Page 51

Féminin : a) femme b) chatte c) bonne
d) heureuse e) infirmière f) complète
g) aiguë h) actrice i) gentille j) jumelle
k) vieille l) rigolote m) patronne
n) musulmane

Masculin : a) muet b) sec c) ambassadeur
d) drôle e) comte f) pareil g) Gabriel
h) chien i) léger j) juif k) supérieur
l) patineur m) long n) favori

Page 52

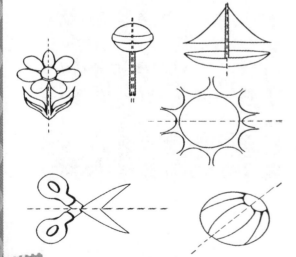

Page 53

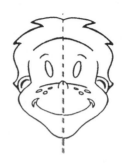

Page 54

Scientifiques

Page 55

Tu arrives à la case départ.

Page 56

Le plancton se fait manger par le poisson,
qui se fait manger par le phoque, qui
se fait manger par l'épaulard.

Page 57

Rouge : mouffette, écureuil, cheval.
Bleu : canard, hibou, cygne.
Vert : crocodile, iguane.

Page 58

1- Fish, 2- Mouse, 3- Shark, 4- Tiger,
5- Cat, 6- Eagle, 7- Dog, 8- Whale.

Page 59

1- Odorat, 2- Toucher, 3-Vue, 4- Vue et
toucher, 5- Goût et toucher, 6- Toucher
et vue, 7- Vue et toucher, 8- Goût.

Page 60

a) Cinéma
b) Léopard
c) Serpenteau

Page 61

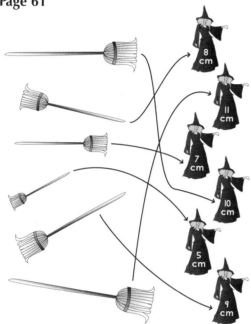

Page 62

1 - 6 h 15, 2 - 8 h 25, 3 - 2 h 30,
4 - 11 h 45, 5 - 4 h 40, 6 - 9 h 20.

Page 66

Beauté et *beau, dentiste* et *dent, ensoleillé*
et *soleil, hiver* et *hivernal, hôpital* et
hospitalier, jardin et *jardinage, journalier*
et *journée, lavabo* et *laver, nouveau*
et *nouveauté, rapidement* et *rapidité,*
sauterelle et *saut, territoire* et *terrain.*

Page 69

1 - 5,50 $, 2 - 6,07 $, 3 - 1,51 $,
4 - 1,44 $, 5 - 1,99 $, 6 - 5,63 $.

Page 70

Réponses variables.

Page 71

Point cardinal

Page 72

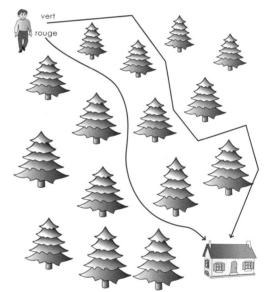

Page 73

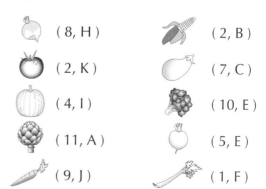

(8, H)   (2, B)

(2, K)   (7, C)

(4, I)   (10, E)

(11, A)   (5, E)

(9, J)   (1, F)

Page 74

Page 75

Réceptionniste

Page 76

Médecin et stéthoscope, peintre et palette de couleurs, concierge et balai, banquier et argent, astronaute et vaisseau spatial, pompière et tuyau, fleuriste et fleurs, informaticien et ordinateur, plombière et outils.

Page 77

Les images suivantes devraient être encerclées : bouteille en plastique, bouteille en verre, canette, carton de lait, bouchon, journal et conserve.

Page 78

a) Mouche
b) Cochon
c) Nuage
d) Couteau
e) Cercle

Page 79

Féminin : Alice, Amélie, Danielle, Johanne, Mélanie, Sara, Thérèse, Zoé, Nicole, Jocelyne, Chantal, Diane, Jennifer.

Masculin : Charles, Mathieu, Maxime, Jonathan, Simon, Michel, Pierre-Yves, Roger, Benjamin, James, Vincent, Olivier, Paul.

Animaux : Mini, Pongo, Rox, Soussy, Touty, Garfield, Pooky.

Noms communs : cravate, crayon, gâteau, livre, papier, pelle, tasse, télévision, poubelle, parfum, kangourou, seau, plante.

Page 80

4, 5, 9, 10, 13
6, 8, 12, 16, 22, 24
30, 40, 70, 90, 100
6, 15, 21, 33, 36
5, 20, 25, 45, 50, 55
300, 400, 600, 800, 900
600, 1500, 2400, 2700
32, 40, 56, 80, 96
22, 27, 30, 31, 34
26, 31, 45, 47

Page 81

+	0	1	2	3	4	5	6	7	8	9	10
0	0	1	2	3	4	5	6	7	8	9	10
1	1	2	3	4	5	6	7	8	9	10	11
2	2	3	4	5	6	7	8	9	10	11	12
3	3	4	5	6	7	8	9	10	11	12	13
4	4	5	6	7	8	9	10	11	12	13	14
5	5	6	7	8	9	10	11	12	13	14	15
6	6	7	8	9	10	11	12	13	14	15	16
7	7	8	9	10	11	12	13	14	15	16	17
8	8	9	10	11	12	13	14	15	16	17	18
9	9	10	11	12	13	14	15	16	17	18	19
10	10	11	12	13	14	15	16	17	18	19	20

Page 82

Soccer : 25, baseball : 10, hockey : 45,
patinage : 40, natation : 35, tennis : 30,
yoga : 55.
Le plus populaire : yoga.
Le moins populaire : baseball.
Oui = 5, oui = 20, non, oui = 5, oui = 10.

Page 84

1. dining room
2. bathroom
3. study room
4. living room
5. kitchen
6. bedroom

Page 85

1. bookcase
2. sink
3. chair
4. couch
5. fridge
6. shower
7. table
8. desk
9. oven
10. coffee table

Page 86

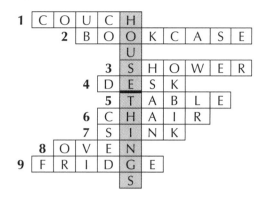

Page 87

2. In the box
3. On the box
4. Under the bed

Page 88

Une marguerite

Page 89

1. ordinateur
2. automobile
3. verre
4. règle à mesurer

Page 90

1)	3 < 6	14)	82 = 82	27)	43 = 43
2)	8 = 8	15)	37 < 92	28)	81 > 73
3)	5 < 10	16)	59 < 72	29)	27 < 72
4)	19 > 17	17)	19 < 73	30)	18 < 19
5)	12 > 9	18)	101 > 99	31)	24 > 19
6)	29 < 33	19)	39 < 81	32)	46 < 56
7)	28 = 28	20)	49 > 24	33)	75 < 79
8)	47 < 54	21)	39 < 86	34)	32 > 14
9)	29 < 35	22)	14 < 27	35)	98 > 92
10)	129 < 143	23)	69 < 83	36)	112 < 123
11)	162 > 92	24)	89 > 76	37)	42 > 23
12)	45 > 20	25)	38 < 82	38)	12 < 21
13)	18 < 74	26)	17 < 38	39)	36 < 52

a)	121 121 > 111 123	h)	11 111 < 11 111 111
b)	223 613 > 222 684	i)	99 699 999 < 99 999 699
c)	999 999 > 99 999	j)	824 457 532 > 573 236 521
d)	257 428 < 514 689	k)	245 245 245 < 245 254 254
e)	656 565 > 565 656	l)	767 676 767 > 676 767 676
f)	23 456 789 > 23 456 788	m)	511 000 001 = 511 000 001
g)	213 349 < 356 742	n)	934 439 493 > 934 349 493

Page 92

Démarche :	5 $ x 2 $ = 10 $ par semaine
	22 $ + 10 $ = 32 $
Réponse :	32 $

Démarche :	5 $ - 4,55 $ = 0,45 $
	4 $ - 2,45 $ = 1,55 $
Réponse :	0,45 $ à sa mère
	et 1,55 $ à sa grand-mère.

Démarche :	22 ans – 10 ans = 12 ans
	12 ans + (10/2) ans = 17 ans
	17 ans – 2 ans = 15 ans
Réponse :	Andréanne a 15 ans.

Démarche :	4 ans x 3 = 12 ans
	12 ans – 4 ans = 8 ans
	13 ans + 8 ans = 21 ans
Réponse :	21 ans

Démarche :	12 toiles - 2 toiles + 1 toile
	= 11 toiles
	11 toiles – 5 toiles = 6 toiles
	55 $ x (5 + 2) = 385 $

Réponse :   Il reste 6 toiles et Pierre-Luc a gagné 385 $.

Page 121

Savais-tu que tous les enfants naissent avec les yeux bleus ?

Page 122

3	1	5	6	4	2
5	4	2	3	6	1
6	2	4	1	5	3
2	6	3	5	1	4
1	3	6	4	2	5
4	5	1	2	3	6

1	6	5	4	3	2
3	2	1	6	5	4
5	4	3	2	1	6
2	1	6	5	4	3
4	3	2	1	6	5
6	5	4	3	2	1

Page 123

Page 125

424 et 426

Page 126

1. Scarf, 2. Skirt, 3. Socks, 4. Bathing suit,
5. Dress, 6. Pyjamas, 7. Tuque, 8. Blouse,
9. Sandals, 10. Pants, 11. Boots, 12. Coat,
13. Hat, 14. Shirt, 15. Shoes, 16. Slippers,
17. Mittens, 18. Cap, 19. Gloves, 20. Shorts,
21. Jeans

Page 127

1. 97 %
2. L'océan Atlantique.
3. 5
   Pacifique, Atlantique, Indien, Antarctique
   et Arctique.
4. L'océan Pacifique.
5. L'océan Arctique.
6. L'océan Indien.
7. La fosse des Mariannes, plus précisément
   l'abysse Challenger.
   a) Par les britanniques dans un navire
      appelé le *Challenger II*.

Page 128

1. Cylindre
2. Pyramide à base carrée
3. Cône
4. Pyramide
5. Boule ou sphère
6. Cube
7. Pyramide à base triangulaire
8. Pyramide à base pentagonale

Colorier 1, 3 et 5

Page 137

a) Ordinateur
b) Autobus
c) Professeur
d) Coussin

Page 140

a) 1 500 mètres
b) 22 biscuits
c) 6 ans

Page 141

a) 1. Accrocher ses patins.
b) 2. Avoir d'autres chats à fouetter.
c) 2. Être futé comme un renard.
d) 1. Avoir du cœur au ventre.
e) 2. Avoir une tête sur les épaules.
f) 2. Avoir les garcettes en l'air.